DATE DUE

Oct 5 '71			
~~Oct 19 '71~~			
~~Oct 10 '74~~			
~~Oct 28 '74~~			
GAYLORD M-2			PRINTED IN U.S.A.

CONTEMPORARY SPANISH TEXTS

General Editor

FEDERICO DE ONÍS

Professor of Spanish Literature, Columbia University,
formerly of the University of Salamanca

CONTEMPORARY SPANISH TEXTS

General Editor

FEDERICO DE ONÍS

1. **Jacinto Benavente: Tres comedias.** JOHN VAN HORNE.
2. **Vicente Blasco Ibáñez: La batalla del Marne** from *Los cuatro jinetes del Apocalipsis.* FEDERICO DE ONÍS.
3. **Martínez Sierra: Canción de cuna.** A. M. ESPINOSA.
4. **Juan Ramón Jiménez: Platero y yo.** G. M. WALSH.
5. **Linares Rivas: El abolengo.** P. G. MILLER.
6. **Antología de cuentos españoles.** HILL AND BUCETA.
7. **Azorín: Las confesiones de un pequeño filósofo.** L. IMBERT.
8. **Antología de cuentos americanos.** L. A. WILKINS.
9. **Marquina: En Flandes se ha puesto el sol.** HESPELT AND SANJURJO.
10. **Martínez Sierra: Sol de la tarde.** C. D. COOL.
11. **Quinteros: La flor de la vida.** REED AND BROOKS.
12. **Pío Baroja: Zalacaín el aventurero.** A. L. OWEN.
13. **Julio Camba: La rana viajera.** F. DE ONÍS.
14. **Pérez Lugín y Linares Rivas: La casa de la Troya.** MARTÍN AND DE MAYO.
15. **Rubén Darío: Poetic and Prose Selections.** ROSENBERG AND LOWTHER.
16. **Palacio Valdés: La novela de un novelista.** ALPERN AND MARTEL.
17. **Concha Espina: Mujeres del Quijote.** W. M. BECKER.
18. **Antología de ensayos españoles.** ANTONIO ALONSO.

4 D 2

PRINTED IN U.S.A.

PREFACE

THE purpose of the present edition of *Zalacaín el aventurero* may be considered three-fold; first, to provide students, of a grade of advancement sufficient to admit of their reading comparatively simple prose, with a specimen of that field of letters most scantily represented among edited texts, — the *short* novel; second, to place in their hands a story interesting enough in itself to carry them with a measure of satisfaction through the drudgery of "looking up" words and puzzling over idioms; third, to introduce them under favorable circumstances to the most significant of contemporary Spanish novelists. For the accomplishment of the first and to some extent of the second, it has been necessary to "cut" the novel as Baroja conceived it.

In making the excisions the editor has endeavored to leave out nothing which, omitted, would impair the reader's interest in and comprehension of the main story. The two somewhat pagan love-episodes of Linda and Rosa Briones, although quite harmless, have not been included, lest they offend a too fastidious taste. The well-known desultory quality of Baroja's narrative prose has made possible the omission of a considerable number of passages which, while admirable in themselves, do not advance the central action (e.g., Book I, chapters III and V *et passim*). A few of the omitted parts have a slight bearing upon the development of the action, and the reader is so advised in the footnotes and corresponding annotations.

An effort has been made to explain briefly in the Notes the main circumstances surrounding the progress of the last Carlist war, and to identify the real persons and places mentioned in the text. Much of this latter material will be found in the

Vocabulary. Grammatical comment has in general been limited to points not adequately treated in the usual elementary grammars, acquaintance with which is presupposed in students using the text.

The Vocabulary is intended to be complete, except for words which are identical in form and meaning in the two languages. These have been omitted save where they occur in an unusual sense. A number (by no means all) of the irregular verb-forms will be found included where it was thought that they might prove useful.

I wish to express my thanks to the General Editor and to my colleagues Miss Katherine Reding and Mr. José M. Osma for much kindly assistance.

A. L. O.

LAWRENCE, KANSAS
September, 1926

TABLE OF CONTENTS

PÍO BAROJA

La literatura contemporánea de España ofrece el espectáculo de un grupo de personalidades extraordinarias que apenas tienen de común entre sí otra cosa que este rasgo de su extremado individualismo. Una galería de retratos contemporáneos sería, aun en lo meramente físico, una exposición curiosísima de fisonomías humanas cuyo perfil acusado, intenso, inconfundible, denota la rareza de su personalidad. Pues bien, este individualismo extremo — rasgo común de la época — encuentra en Pío Baroja su expresión más fuerte y exagerada, y a la vez más espontánea y natural.

Nació Pío Baroja en San Sebastián en 1872. Es vasco, por lo tanto — como Unamuno, como Zuloaga, y tantos otros hombres de aquella misma raza, que habiéndose conservado semibárbara desde los tiempos primitivos de España, ha irrumpido ahora en el campo tan trabajado de la cultura española y la ha infundido con su nueva sangre una ingenua y enérgica originalidad. No se sabe bien lo que son los vascos — tema predilecto de la preocupación de Baroja — a pesar de que hasta nuestros días han conservado con su lengua el elemento más importante de su carácter racial. Según una teoría que ha tenido muchos partidarios este pueblo vasco y su lengua son un resto vivo del pueblo y de la lengua ibéricos, que dieron nombre y unidad a la España pre-romana. Si esta teoría fuese exacta, serían los vascos los españoles más españoles de toda España, los supervivientes más puros de la raza indígena. Y aunque esta teoría ha sido discutida y negada en nombre de buenas razones etnológicas y arqueológicas, es quizás de más peso que todas estas razones el hecho de que siempre que un vasco ha llegado a crear obras originales de cultura — como Pedro López de Ayala en la edad media, San Ignacio de Loyola en el siglo XVI, y en nuestros días Baroja y el numeroso grupo de escritores y pintores vascos — ha expresado en ellas un espíritu y un carácter netamente españoles. Por eso ha llegado a decirse, tomando la imagen de la química, que el vasco es el « alcaloide » del castellano. Puede ser que los vascos no tengan parentesco con todos los pueblos que antiguamente existieron en la península ibérica; pero lo tuvieron sin duda con el pueblo geográficamente inmediato a ellos y que, romanizado y germanizado, apareció en la historia de la edad media con el nombre de Castilla y constituyó el germen primero y definitivo de la nacionalidad española.

En esta tierra vasca, de verdes montañas y de hombres individualistas y reconcentrados, nació Pío Baroja, y en ella vive gran parte del año, en Vera, pueblo próximo a la frontera francesa. Estudió medicina en Madrid y ejerció la profesión una corta temporada, para abandonarla en seguida y dedicarse por completo a la literatura. No quiere esto decir que la literatura haya sido para él una profesión u oficio, ni un medio de ganarse la vida, que tenía asegurada en otra forma. Gracias a esto pudo ganar la independencia de escritor que todas sus obras reflejan; ha podido escribir lo que le venía en gana, sin sujeción a periódicos, empresas ni públicos. Como, por otra parte, no parece que la gloria y la reputación basadas en la popularidad le inquietan mucho, nada le ha cohibido en la libérrima expresión de sus ideas y sentimientos, llegando a ser uno de los escritores más sinceros, independientes y despreocupados que haya habido nunca. Es un puro literato, en el mejor sentido, es decir, en el más opuesto que cabe al sentido profesional: es un hombre que escribe natural y espontáneamente lo que le pasa, lo que piensa y lo que siente, sin otra finalidad que satisfacer una necesidad de su temperamento. Vive sin pensar en escribir, y escribe lo que ha vivido.

Su vida es tan espontánea como sus escritos. Libre de toda obligación profesional y social, de compromisos políticos, de ambiciones personales, de respeto a todos los valores consagrados y convencionales, se basta por completo a sí mismo y ha realizado en su vida el ideal anarquista de la más perfecta libertad individual. Su placer consiste en observar la vida en todas sus formas, en los pueblos y las ciudades, y anotar luego en sus libros su visión rápida y sincera de las cosas. Le gusta mezclarse con los campesinos y gentes de clase baja; vagar por las calles entre el gentío o por sitios solitarios; recorrer a pie los pueblos y caminos; viajar por el extranjero. Aparte de estas andanzas, su vida es sedentaria y metódica, consagrada a leer, escribir y conversar. Tanto le encanta vagar errabundo por calles y caminos como por el mundo de las ideas, complaciéndose en charlar sobre los problemas más abstrusos y componer ingeniosas teorías. Es Pío Baroja un hombre singular. Les da a los españoles la impresión de un hombre exótico; con su barba rubia, su gran cabeza, su largo gabán, sus andares torpes y pesados, su expresión cansada, melancólica y burlona, les parece que tiene algo de eslavo o algo de nórdico. Yo creo que parecería un hombre raro en todas partes y que sus singularidades son genuinamente españolas.

Pío Baroja es un sentimental y un cerebral al mismo tiempo. « Cerebral » es una palabra que se puso de moda entre los escritores de esta época para expresar con ella este carácter que tan amenudo se encuentra en sus hombres más representativos: la intensidad de vida espiritual interior juntamente con la incapacidad de realizarla por medio de la acción. De este desequilibrio entre el sentimiento y la voluntad nacen la inquietud, la melancolía, y al mismo tiempo la agudeza intelectual y la originalidad sentimental que se observa en tantos escritores contemporáneos y muy señaladamente en Pío Baroja y Azorín. Estos dos escritores se recuerdan amenudo juntos por la estrecha amistad que han mantenido a través de su vida personal y literaria, y ciertamente al compararlos se comprende mejor a cada uno de ellos, por lo mismo de ser ambos tan originales, distintos y en cierto modo antitéticos. Ambos son contemplativos; ambos miran al mundo con ojos irónicos y desengañados; ambos sienten la dificultad invencible de realizarse en la acción. En sus momentos de desaliento e insatisfacción han dicho con las mismas palabras su cansancio de no haber vivido. Azorín querría disgregarse en la materia, « ser el agua que corre, el viento que pasa, el humo que se pierde en el azul ». Baroja es un « hombre de paso, que se mueve y no arraiga, una partícula de aire en el viento, una gota de agua en el mar ».

El medio español en que ambos se han formado, uno en el norte y el otro en el sur, el mismo bajo cielos azules o plomizos, en las llanuras o en las montañas, ha puesto en sus almas esta calidad de intensidad sensitiva y flaqueza de voluntad. La misma timidez y escepticismo les ha hecho replegarse sobre sí mismos y mirar al mundo y la vida desde lejos y desde fuera, irónica y desinteresadamente, con mirada no exenta de amor y ternura, la ternura melancólica que se siente por lo que se ama y no se ha de poseer. Baroja confiesa que no ha pretendido nunca hacer en sus novelas figuras de mujeres miradas como desde dentro de ellas, sino que las ha dibujado « como desde fuera, desde esa orilla lejana que es un sexo para otro ». A la misma distancia infranqueable están todas las demás cosas en el mundo novelesco de Baroja: la distancia creada por la incapacidad de salirse de sí mismo e identificar la propia individualidad con los demás seres o cosas en actos de conquista o de abnegación. De ahí la indiferencia y frialdad aparentes con que el mundo está pintado en las novelas de Baroja y que no tienen nada que ver con la impersonalidad objetiva buscada por los novelistas realistas. Baroja lleva el subjetivismo de esta época a su último extremo, y aunque sus novelas estén pobladas de seres y cosas de la realidad exterior, están allí, no como son vistos desde dentro de sí mismos — para emplear los mismos términos de Baroja —, sino desde fuera, es decir, desde el alma de Baroja. Y aunque sean, como son, innumerables y variadísimos, no son en manera alguna cada uno de ellos un personaje de la comedia humana, como en Balzac o en Galdós, que nos muestra su carácter y su destino propios, sino que todos ellos al pasar ante nosotros nos dicen una misma cosa y nos dejan una misma impresión: nos descubren en sus gestos el alma de quien los vió y nos dejan siempre la misma emoción de indiferencia amarga, de renunciamiento penoso, de mansa resignación, de humor compasivo, y de todo lo demás que forma la compleja personalidad de Pío Baroja, que estamos tratando de analizar.

Pero si los dos, Azorín y Baroja, parecen fundidos en el mismo molde, y ofrecen tal semejanza en ciertos caracteres de su espíritu y en los motivos y direcciones esenciales de su arte, son sin embargo desemejantes y opuestos en la manera como han llevado a cabo las mismas tendencias nativas en su obra literaria. La abulia — otra palabra que estos autores pusieron de moda —, la falta de voluntad de Azorín se tradujo en una visión quieta y estática del mundo; podría decirse que su yo actúa como una fuerza centrípeta que atrae y fija, con fijeza de inercia, el movimiento fugaz de la corriente de la vida. La abulia de Baroja se tradujo en una visión movible, incoherente, cinematográfica de la vida: su espíritu actúa como una fuerza centrífuga que aleja de sí todo lo que llega a su alcance. Todos los seres que entran en el mundo novelesco de Baroja tienen la actitud de quien se despide o huye; son, como Baroja mismo, seres de paso, que se mueven y no arraigan. Todo cambia constantemente, todo está en movimiento; los personajes aparecen de súbito ante nuestra vista y desaparecen para no volverlos a ver. Nada hay permanente y fijo en el mundo de Baroja, mientras que el de Azorín está hecho solamente de lo que es fijo y siempre igual a través del fluír de la vida. El dinamismo aparente de Baroja y de la realidad que ven sus ojos, es, sin embargo, producto de la inercia y la pasividad en forma aun más radical y extremada. Ni Baroja ni Azorín han encontrado nunca terreno firme bajo sus pies donde asentarse: una fe, una convicción que dé sentido a su vida e impulsos a su acción; y se han dejado arrastrar por la corriente de la vida, sin fuerza para resistirla o dominarla. De ahí aquella tendencia al nihilismo que hacíamos notar. Pero ambos, cada uno a su manera, se han salvado del aniquilamiento y han dado salida en su obra literaria a su angustia, no por individual menos metafísica y de menor significación humana. Azorín ha encontrado uno de esos remansos que se forman en la confluencia de corrientes diversas, y en él, quieto y seguro, ha llevado a cabo su interpretación sintética y armónica de todo lo que pasa incesantemente a su alrededor. Baroja, en cambio, se ha dejado arrastrar pasivamente, ha renunciado a ser el artífice de su ventura, y echando por la borda todo el bagaje de ideales, aspiraciones y ambiciones, recogidas las velas, se ha dejado llevar por los vientos y corrientes, y se ha entretenido en observar y notar lo que pasaba a su alrededor y en meditar sobre ello. Así es como la obra de Azorín es toda concentración y armonía, mientras que la obra de Baroja es toda dispersión e incoherencia.

Según todo lo dicho creemos que el arte de Baroja es esencialmente lírico, aunque haya tomado la forma de la novela, que parece ser el más objetivo de los géneros literarios, al menos tal como fué en sus formas más definidas y perfectas del siglo XIX. Pero al llegar la época contemporánea sufrió la novela una crisis profunda, tanto que llegó a anunciarse su agotamiento y desaparición, y sólo ha podido subsistir cambiando mucho de su carácter y adaptándose a la aspiración dominante del arte contemporáneo, que consiste en la libérrima expresión de lo individual. Esto explica el hecho de que haya en esta época pocos novelistas propriamente dichos — excepto los que, como Blasco Ibáñez, son en rigor una supervivencia rezagada del siglo XIX — y que los autores de las mejores novelas de hoy, tales como Valle-Inclán, Azorín o Baroja, sean difíciles de clasificar como novelistas por haber escrito obras igualmente importantes en otros géneros y aun por ser sus novelas muy diferentes de los tipos de novela del siglo XIX y muy diferentes entre sí. Nada hay más desemejante, tanto en el fondo como en la forma, que las novelas de Valle-Inclán, Azorín y Baroja:

lo único que tienen de común es el carácter lírico y subjetivo, más aparente aún en las de los dos primeros. Por parecerse las obras de Baroja externamente más a las novelas realistas del siglo XIX y por pertenecer la mayoría de ellas a ese género — excepto algunos tomos de ensayos — es por lo que se le considera como el más puro y al mismo tiempo el más importante de los novelistas de esta generación.

Sería difícil definir la novela de Baroja; para él la novela es un ancho campo de divagación espontánea donde cabe junto y sin selección todo lo que la vida ha dejado en su espíritu y todo lo que su espíritu ha puesto sobre la vida. Hay en sus novelas paisajes del campo y de la ciudad maravillosamente pintados con un impresionismo ultrarealista; innumerables seres humanos que viven ante nuestros ojos sus vidas vulgares e insignificantes unos, aventureras, divertidas o dolorosas otros; todo un idearium puesto en boca del autor o en boca de los personajes, que abarca los problemas más diversos — filosóficos, científicos, sociales, religiosos, políticos, artísticos —, con una señalada preferencia por los temas más abstrusos, más discutibles y más imposibles de resolver. En sus novelas están las provincias vascas, la vida madrileña, la de los campos y ciudades del resto de España; la vida de los españoles en el extranjero, la de los extranjeros en España; el mar y la tierra, el campo y la ciudad, la vida sedentaria y la vida viajera, la paz y la guerra, lo nacional y lo cosmopolita. A través de sus páginas hallamos entremezcladas cosas de la más diversa calidad y sentimos las más encontradas emociones: páginas de ternura candorosa y de sarcasmo corrosivo, de rebeldía y de resignación, de simpatía compasiva y de implacable indiferencia, de risa franca y de dolor sombrío, de exaltación romántica y de realismo repugnante . . . Todo parece existir en las obras de Baroja, menos la unidad.

Y sin embargo, una profunda y muy original unidad existe a través de toda esta obra larga, difusa, ondulante, incoherente y variable como la vida: unidad que no brota de la selección y la armonía, sino precisamente de la falta de selección y de conexión entre los múltiples elementos de la realidad que integran la trama de estas novelas y que son todos ellos de carácter episódico y sin conexión con la acción principal. No hay tal acción principal en las novelas de Baroja. Puede haber en ellas un sitio o un personaje principal que parece ser el centro o el hilo conductor de la acción; pero en rigor todos los acontecimientos de la novela tienen muy poco o nada que ver los unos con los otros, ni cada uno de ellos con el destino del personaje principal. Es evidente que el arte de Baroja no pretende abstraer de la realidad una acción separada y ejemplar, sino poner en acción a la realidad misma en cuanto es independiente de toda acción particular e indiferente a ella. Claro está que la realidad completa, la vida entera, no caben en ninguna obra de arte, y que aun proponiéndose, como Baroja, dar la imagen misma de la vida, es necesaria la selección; por lo cual Baroja selecciona precisamente, conforme al propósito definido y quizás inconsciente de su arte, todo aquello que por ser ajeno al héroe de sus novelas — a la voluntad particular de un hombre cualquiera — crea la impresión de la vida tal como ésta pasa indiferente, inmensa, caótica, incoercible, en torno a todos nosotros. Así pasan ante los héroes de Baroja los acontecimientos, como las aguas de un río; pasan y desaparecen sin dejar nada en ellos ni en el lector más que la impresión de este incesante fluír y pasar al olvido, que ejerce sobre el ánimo una atracción absorbente y dominadora y deja al fin una sensación de vacío desolador.

Hay en el fondo de este arte de Baroja una filosofía, una concepción de la vida, que sería pesimista, si no fuera tan ingenua y sincera, si no llevase dentro de sí tanto amor y comprensión de todo lo grande y lo pequeño, y si no estuviera toda ella teñida de humorismo consolador. Es inevitable pensar, cuando se trata de definir el arte peculiarísimo de Baroja, en el de ciertos novelistas rusos a quienes se parece más que a nadie. Pero esta semejanza se debe, más que a influencia literaria, a la coincidencia de carácter que tantas veces se ha señalado y que indudablemente existe, a pesar de sus hondas diferencias, entre el pueblo ruso y el español. Baroja y los personajes de sus novelas son completamente españoles; porque si, como tales, se parecen a los rusos en muchas cosas, son antitéticos de ellos en otras. En nada se diferencian tanto rusos y españoles como en el sentimiento de la individualidad, vivo, enérgico, rebelde, más fuerte que ningún otro, en el español; apagado, sumiso, gregario, nihilista, en el ruso. El español puede perderlo todo menos el sentimiento de la propia personalidad; puede negarlo todo menos a sí mismo. Así, conservan y aumentan la conciencia de su personalidad los místicos españoles al ponerse en contacto con la inmensidad divina; los pícaros, al luchar contra la suerte adversa; Segismundo, al dudar de la realidad, duda que no le lleva, como a Hamlet, a la inacción, sino a decir « ¡Atrevámonos a todo! » y a afirmar su voluntad de acción y de vida, aunque la vida sea sueño; Don Quijote, al marchar, con su locura invencible, sin perder un ápice de su fe en sí mismo, a través de sus infinitos fracasos y desventuras. De madera española son también todos los héroes barojianos, seres humanos que ofrecen formas extremas o anormales de individualismo pasivo o activo, incapaces de sociabilidad, errantes como los aventureros y los pícaros, que ruedan sin encontrar jamás ni quietud ni asiento: tipos voluntariosos e insatisfechos, de los que la realidad española ha estado siempre llena, sobre todo desde que con la decadencia nacional vino la disolución de los grandes ideales colectivos y quedaron sueltas y sin freno las tendencias nativas a la disgregación y al atomismo. La inconsistencia e inmovilidad de estos personajes, a los que parece les falta todo eje interior salvo esta voluntad de afirmación individual y libertad anárquica, sirve a Baroja para dar su emoción de la vida como algo también inconsistente y movible. Lo mismo que el protagonista de las novelas picarescas era, más bien que un héroe, un punto de vista para ver toda la sociedad, una « atalaya de la vida humana », como

Mateo Alemán llamó a su novela, los héroes de Baroja, siendo como son, se prestan admirablemente para ver a su través un mundo en que, como hemos dicho, todo pasa y cambia incesantemente, de manera que deja en nosotros una impresión semejante al fluír de la vida misma.

Por todo lo dicho se comprenderá que es inútil ir a buscar en las novelas de Baroja una construcción armónica, ordenada, cuidadosa, selecta; el espíritu de Baroja es errabundo como el de sus personajes, ama las digresiones, se detiene en los detalles, busca la espontaneidad y detesta toda afectación. Y así son sus novelas, llenas de gracia, de encanto y de originalidad precisamente por esas mismas cualidades que a menudo se han señalado como defectos. De estos supuestos defectos nace la fuerza de su estilo inconfundible. No se comprende bien como se ha podido pensar y decir que Baroja carece de estilo, ni qué idea de lo que el estilo es deben de tener las personas que así piensan. Sin duda creen que el estilo consiste en el artificio del lenguaje, en el cuidado externo de la expresión, en la elegancia de la forma, cosas todas éstas que evidentemente repugnan al temperamento de Pío Baroja, quien, como todo escritor verdaderamente original, tiene un estilo propio que refleja las cualidades de su temperamento. No se puede leer una página suya sin reconocer en seguida en ella el tono de su voz, sin pensar que sólo él podía haberla escrito. Cierto es que el estilo de Baroja es ingenuo, sincero y espontáneo hasta rayar en el cinismo, que escribe casi como se habla, en mangas de camisa podríamos decir, como si no hubiera habido antes de él literatura; pero por eso mismo está libre de vulgaridad y lugares comunes y brilla en él desnuda la poderosa originalidad de su espíritu.

Todo lo dicho se aplica por igual a su abundante obra, que consta hasta ahora de unos cuarenta volúmenes; Baroja es siempre el mismo y lo único que varía en sus diferentes obras es el espectáculo que pasa ante nuestros ojos o el tema de sus meditaciones arbitrarias. Empezó su carrera literaria con un libro de cuentos (*Vidas sombrías*, 1900), que ofrecen en su variedad como un compendio de los caracteres más originales y permanentes de su arte; algunos de esos cuentos, sobre todo los que tratan de la vida vasca, reimpresos poco después en un tomito (*Idilios vascos*, 1901), son obras maestras del arte barojiano. Vivirán siempre cuentos como *Mari Belcha* y *Elizabide el vagabundo*, que contienen en sus breves páginas lo más puro y hondo de Baroja, la simpatía por los humildes, el amor por los aventureros de alma solitaria y reconcentrada, la emoción lírica de los paisajes. De estos cuentos arrancan las novelas vascas, tales como *La casa de Aizgorri* (1900), *El mayorazgo de Labraz* (1903) y *Zalacaín el aventurero* (1909), obras, sobre todo la última, que entre todas las de Baroja, se caracterizan por una mayor unidad interna y un mayor equilibrio e igualdad en la ejecución. Sin duda se debe esto a la armonía que existe entre el alma del autor y la de sus personajes, y entre todos ellos y el ambiente físico y moral de la tierra vasca que forma el fondo de estas novelas. Como Baroja mismo ha dicho en curiosas páginas de auto-crítica, Zalacaín es su novela más espontánea y la que sin esfuerzo le ha salido mejor. Es probablemente su novela de menos pretensiones, la más sencilla y natural, y conforme a lo que hemos dicho del carácter y el arte de Baroja, es por eso mismo la más suya. Yo no diría que es la mejor, porque le falta la profundidad compleja que se encuentra en obras posteriores y que llegó a culminar en las novelas más amplias que tienen como tema la raza española; pero sí diría que es la más agradable, la más optimista y serena, aquella en que la disolvente filosofía barojiana aparece encarnada en personajes más sanos y simpáticos y encuadrada en el justo marco de la psicología colectiva del pueblo vasco. Por eso la ama el público, y Baroja, a quien parece tenerle sin cuidado la opinión de los críticos tanto si es elogiosa como si es adversa, no ha ocultado su satisfacción al sorprender el éxito especial de esta obra, por una parte entre los campesinos vascos de la región donde ocurre la novela, que suelen decir: « Por aquí anduvo Zalacaín », y por otra parte entre los estudiantes de español de la Sorbona — donde se usa esta novela como libro de texto —, a petición de los cuales les dió Baroja una conferencia que puede leerse en su libro *Divagaciones apasionadas* (1924).

Aparte de estas obras, habría que citar para señalar sumariamente la evolución y los momentos culminantes de la labor literaria de Baroja, su novela *Camino de perfección* (1902), una de sus primeras obras, que como *La voluntad* de Azorín, es uno de los documentos literarios más importantes para conocer el turbulento y enfermizo estado de alma en que se encontraba la juventud española a fines del siglo pasado, crisis espiritual de donde nació la época contemporánea de la literatura española; su trilogía titulada *La lucha por la vida*, formada por tres novelas que en rigor son una sola, *La busca* (1904), *Mala hierba* (1904) y *Aurora roja* (1904), en las que describe la vida miserable de los bajos fondos madrileños y los anhelos de redención social de los humildes y desheredados; sus ensayos arbitrarios, que sólo se diferencian de las novelas en que no habla más que un personaje, Baroja mismo, *Tablado de Arlequín* (1904), *Juventud, egolatría* (1917), *Las horas solitarias* (1918), *Divagaciones apasionadas* (1924), y otros, como *La caverna del humorismo* (1919), que aunque parecen novelas, no son en rigor más que un pretexto para exponer más libremente sus ideas; sus novelas de extravagancia psicológica y de invención imaginativa, como las de *Paradox;* de aventuras marítimas como *Las inquietudes de Shanti Andía* (1911); de viajes y de vida cosmopolita como *La dama errante* (1908), *La ciudad de la niebla* (1909), y en cierta medida muchas otras; sus novelas históricas, muy poco históricas por cierto, ya que el espíritu de Baroja sólo es capaz de las reacciones inmediatas que todo lo convierten en contemporáneo, novelas de un pasado próximo, como la serie de *Memorias de un hombre de acción*, en la que la España de principios del siglo XIX aparece con toda su turbulencia dramática y su anárquico individualismo.

De intento he dejado para el final la mención de las obras que en mi opinión representan la culminación de nuestro autor, sus obras más discutidas por lo mismo que son las más complejas y profundas, aquellas en que penetra y ahonda en el alma de España, en el alma confusa de la España actual, formada de detritus del pasado y de vagos anhelos de resurrección y vida. El problema de España, que es para Baroja como para todos los españoles conscientes de su época el de su relación con el resto de Europa, aparece como una obsesión en *La ciudad de la niebla*, *César o nada* (1910), *El mundo es ansí* (1912), y otras novelas en las que se confrontan la psicología y los ideales españoles con los europeos, o bien llevando a los españoles a vivir en el extranjero, o trayendo a los extranjeros a vivir en España. Todas estas novelas son torturantes y desesperadas; pero más que ninguna lo es *El árbol de la ciencia* (1911), la más triste y pesimista de todas sus obras, y con todo, probablemente la mejor. Mucho habría que decir acerca de estas obras, pero mejor será dejarlo por ahora, ya que, afortunadamente para ella, la juventud norteamericana — a quien se dedica este libro — es lo bastante sana y alegre para que no le guste oír hablar de tristeza y de pesimismo.

F. de O.

Nota Bibliográfica

Obras. — *Vidas sombrías*, 1900. — *La casa de Aizgorri*, 1900. — *Aventuras, inventos y mixtificaciones de Silvestre Paradox*, 1901. — *Idilios vascos*, 1901. — *Camino de perfección*, 1902. — *El mayorazgo de Labraz*, 1903. — *El tablado de Arlequín*, 1904. — *La lucha por la vida: La busca, Mala hierba, Aurora roja*, 1904. — *La feria de los discretos*, 1905. — *Paradox, rey* 1906. — *Los últimos románticos*, 1906. —*Las tragedias grotescas*, 1907. — *La dama errante*, 1908. — *La ciudad de la niebla*, 1909. —

Zalacaín el aventurero, 1909. — *César o nada*, 1910. — *Las inquietudes de Shanti Andia*, 1911. — *El árbol de la ciencia*, 1911. — *El mundo es ansí*, 1912. — *Nuevo tablado de Arlequín*, 1917. — *Juventud, egolatría*, 1917. — *Idilios y fantasías*, 1918. — *El cura Santa Cruz y su partida*, 1918. — *Las horas solitarias*, 1918. — *Momentum catastroficum*, 1919. — *La caverna del humorismo*, 1919. — *Cuentos*, 1919. — *Divagaciones sobre la cultura*, 1920. — *La sensualidad pervertida*, 1920. — *La leyenda de Jaun de Alzate*, 1922. — *El laberinto de las sirenas*, 1923. — *Divagaciones apasionadas*, 1924. — *El gran torbellino del mundo*, 1926. — *Memorias de un hombre de acción: El aprendiz de conspirador*, 1913; *El escuadrón del brigante*, 1913; *Los caminos del mundo*, 1914; *Con la pluma y con el sable*, 1915; *Los recursos de la astucia*, 1915; *La ruta del aventurero*, 1916; *La veleta de Gastizar*, 1918; *Los caudillos de 1830*, 1918; *La Isabelina*, 1919; *Los contrastes de la vida*, 1920; *El sabor de la venganza*, 1921; *Las furias*, 1921; *Las figuras de cera*, 1924; *La nave de los locos*, 1925. — *Páginas escogidas*, Selección, prólogo y notas del autor, 1918.

Estudios. — R. Carreras, *Los nuevos novelistas españoles: Pío Baroja*, en *Cultura española*, núm. 13. — F. García Sanchiz, *Pío Baroja*, Valencia, 1905. — R. Rojas, *El alma española*, Madrid, 1917. — H. Peseux-Richard, en *Revue Hispanique*, 1910, XXIII, 109–187. — R. Monner Sans, *Un novelista español: Pío Baroja*, Buenos Aires, 1912. — Azorín, *Baroja*, en *Lecturas españolas*, Madrid, 1912. — J. Ortega y Gasset, *Observaciones de un lector*, en *La Lectura*, Madrid, 1915, III, 349–379. — J. Ortega y Gasset, *Ideas sobre Pío Baroja*, en *El espectador*, Madrid, 1916. — R. Jaén, *Pío Baroja y Azorín*, en *Modern Language Bulletin*, Los Angeles, 1916, II, 7–13. — L. Ruiz Contreras, *Memorias de un desmemoriado*, Madrid, 1916. — Xenius (Eugenio d'Ors) *La semana Baroja*, en *Hermes*, Bilbao, 1917, núm. 12. — Andrenio (E. Gómez de Baquero), *Novelas y novelistas*, Madrid, 1918. — J. Francés, *L'égolatrie de Baroja*, en *Hispania*, Paris, 1918, I, 172–175. — B. Garnelo, *La obra literaria de Baroja*, en *La Ciudad de Dios*, Madrid, 1918-1919. — G. Porras Troconis, *Un escritor español contra los americanos*, en *Cuba Contemporánea*, 1918, XVI, 352–356. — R. M. Tenreiro, *Libros recientes de Baroja*, en *La Lectura*, 1918, XVIII, 405–408. — L. P. Thomas, *Introduction* en Baroja, *Les Idylles et les Songes*, Paris, s.a. — F. de Onís, *Pío Baroja and the Contemporary Spanish Novel*, en *New York Times*, 4 mayo, 1919. — F. Romero, *Notas a Baroja*, en *Nosotros*, Buenos Aires, 1919, XXXIII, 184–195. — R. Cansinos-Assens, *La nueva literatura*, tomo I., Madrid, s.a. — L. Pfandl, *Pío Baroja, ein Kapitel aus der Geschichte des modernen spanischen Romans*, en *Die neuren Sprachen*, Hamburg, 1920, XXVIII, 229–240. — H. L. Mencken, *Introduction*, en Baroja, *Youth and Egolatry*, New York, 1920. — Trend, *A Picture of Modern Spain*, London, 1921. — J. Dos Passos, *A Novel of Revolution*, en *Rosinante to the Road Again*, New York, 1922. — E. Gómez de Baquero, *El renacimiento de la novela en el siglo* XIX, Madrid, 1924. — S. de Madariaga, *Semblanzas literarias contemporáneas*, Barcelona, 1924. — Corpus Barga, *Una novela de Baroja* (*Las figuras de cera*), en *Revista de Occidente*, Madrid, 1925, VIII, 106–125. — R. Brenes-Mesén, *Pío Baroja*, en *Nosotros*, 1925, XLIX, 384–388.

LIBRO PRIMERO

LA INFANCIA DE ZALACAÍN

CAPÍTULO PRIMERO

CÓMO VIVIÓ Y SE EDUCÓ MARTÍN ZALACAÍN

Un camino en cuesta baja de la Ciudadela, pasa por encima del cementerio y atraviesa el portal de Francia. Este camino, en la parte alta, tiene a los lados varias cruces de piedra, que terminan en una ermita y por la parte baja, después de entrar en la ciudad, se convierte en calle. A la izquierda del camino, antes de la muralla, había hace años un caserío viejo, medio derruído, con el tejado terrero lleno de pedruscos y la piedra arenisca de sus paredes desgastada por la acción de la humedad y del aire. En el frente de la decrépita y pobre casa, un agujero indicaba dónde estuvo en otro tiempo el escudo, y debajo de él se adivinaban, más bien que se leían, varias letras que componían una frase latina: *Post funera virtus vivit.*

En este caserío nació y pasó los primeros años de su infancia Martín Zalacaín de Urbia, el que, más tarde, había de ser llamado Zalacaín el Aventurero; en este caserío soñó sus primeras aventuras y rompió los primeros pantalones.

Los Zalacaín vivían a pocos pasos de Urbia, pero ni Martín ni su familia eran ciudadanos; faltaban a su casa unos metros para formar parte de la villa.

El padre de Martín fué labrador, un hombre obscuro y poco comunicativo, muerto en una epidemia de viruelas; la madre de Martín tampoco era mujer de carácter; vivió en esa obscuridad psicológica normal entre la gente del campo, y pasó de soltera a casada y de casada a viuda con absoluta inconsciencia. Al morir su marido, quedó con dos hijos, Martín y una niña menor, llamada Ignacia.

El caserío donde habitaban los Zalacaín pertenecía a la familia de Ohando, familia la más antigua, aristocrática y rica de Urbia. Vivía la madre de Martín casi de la misericordia de los Ohandos.

En tales condiciones de pobreza y de miseria, parecía lógico que, por herencia y por la acción del ambiente, Martín fuese como su padre y su madre, obscuro, tímido y apocado; pero el muchacho resultó decidido, temerario y audaz.

En esta época, los chicos no iban tanto a la escuela como ahora, y Martín pasó mucho tiempo sin sentarse en sus bancos. No sabía de ella más sino que era un sitio obscuro, con unos cartelones blancos en las paredes, lo cual no le animaba a entrar. Le alejaba también de aquel modesto centro de enseñanza el ver que los chicos de la calle no le consideraban como uno de los suyos, a causa de vivir fuera del pueblo y de andar siempre hecho un andrajoso.

Por este motivo les tenía algún odio; así que cuando algunos chiquillos de los caseríos de extramuros entraban en la calle y comenzaban a pedradas con los ciudadanos, Martín era de los más encarnizados en el combate; capitaneaba las hordas bárbaras, las dirigía y hasta las dominaba.

Tenía entre los demás chicos el ascendiente de su audacia y de su temeridad. No había rincón del pueblo que Martín no conociera. Para él, Urbia era la reunión de todas las bellezas; el compendio de todos los intereses y magnificencias.

Nadie se ocupaba de él; no compartía con los demás chicos la escuela y huroneaba por todas partes. Su abandono le obligaba a formarse sus ideas espontáneamente y a templar la osadía con la prudencia.

Mientras los niños de su edad aprendían a leer, él daba la vuelta a la muralla, sin que le asustasen las piedras derrumbadas, ni las zarzas que cerraban el paso. Sabía dónde había palomas torcaces e intentaba coger sus nidos, robaba fruta y cogía moras y fresas silvestres.

A los ocho años, Martín gozaba de una mala fama digna ya de un hombre. Un día, al salir de la escuela, Carlos Ohando, el hijo de la familia rica que dejaba por limosna el caserío a la madre de Martín, señalándole con el dedo, gritó:

— ¡ Ése ! Ése es un ladrón.

— ¡ Yo ! — exclamó Martín.

— Tú, sí. El otro día te vi que estabas robando peras en mi casa. Toda tu familia es de ladrones.

Martín, aunque respecto a él no podía negar la exactitud del cargo, creyó no debía permitir este ultraje dirigido a los Zalacaín y, abalanzándose sobre el joven Ohando, le dió una bofetada morrocotuda. Ohando contestó con un puñetazo, se agarraron los dos y cayeron al suelo; se dieron de trompicones, pero Martín, más fuerte, tumbaba siempre al contrario. Un alpargatero tuvo que intervenir en la contienda y, a puntapiés y a empujones, separó a los dos adversarios. Martín se separó triunfante y el joven Ohando, magullado y maltrecho, se fué a su casa.

La madre de Martín, al saber el suceso, quiso obligar a su hijo a presentarse en casa de Ohando y a pedir perdón a Carlos, pero Martín afirmó que antes lo matarían. Ella tuvo que encargarse de dar toda clase de excusas y explicaciones a la poderosa familia. Desde entonces, la madre miraba a su hijo como a un réprobo.

— ¡ De dónde ha salido este chico así ! — decía, y experimentaba al pensar en él un sentimiento confuso de amor y de pena, sólo comparable con el asombro y la desesperación de la gallina, cuando empolla huevos de pato y ve que sus hijos se zambullen en el agua sin miedo y van nadando valientemente.

CAPÍTULO II

DONDE SE HABLA DEL VIEJO CÍNICO MIGUEL DE TELLAGORRI

ALGUNAS veces, cuando su madre enviaba por vino o por sidra a la taberna de Arcale a su hijo Martín, le solía decir:

— Y si le encuentras, al viejo Tellagorri, no le hables, y si te dice algo, respóndele a todo que no.

Tellagorri, tío-abuelo de Martín, hermano de la madre de su padre, era un hombre flaco, de nariz enorme y ganchuda, pelo gris, ojos grises, y la pipa de barro siempre en la boca. Punto fuerte en la taberna de Arcale, tenía allí su centro de operaciones, allí peroraba, discutía y mantenía vivo el odio latente que hay entre los campesinos por el propietario.

Vivía el viejo Tellagorri de una porción de pequeños recursos que él se agenciaba, y tenía mala fama entre las personas pudientes del pueblo. Era, en el fondo, un hombre de rapiña, alegre y jovial, buen bebedor, buen amigo y en el interior de su alma bastante violento para pegarle un tiro a uno o para incendiar el pueblo entero.

La madre de Martín presintió que, dado el carácter de su hijo, terminaría haciendose amigo de Tellagorri, a quien ella consideraba como un hombre siniestro. Efectivamente, así fué; el mismo día en que el viejo supo la paliza que su sobrino había adjudicado al joven Ohando, le tomó bajo su protección y comenzó a iniciarle en su vida.

El mismo señalado día en que Martín disfrutó de la amistad de Tellagorri, obtuvo también la benevolencia de *Marqués*. *Marqués* era el perro de Tellagorri, un perro chiquito, feo, contagiado hasta tal punto con las ideas, preocupaciones y mañas de su amo, que era como él: ladrón, astuto, vagabundo, viejo, cínico, insociable e independiente. Además, participaba del odio de Tellagorri por los ricos, cosa rara en un perro. Si *Marqués* entraba alguna vez en la iglesia, era para ver si los chicos habían dejado en el suelo de los bancos donde se sentaban algún mendrugo de pan, no por otra cosa. No tenía veleidades místicas. A pesar de su título aristocrático, *Marqués* no simpatizaba ni con el clero ni con la nobleza. Tellagorri le llamaba siempre *Marquesch*, alteración que en vasco parece más cariñosa.

Tellagorri poseía un huertecillo que no valía nada, según los inteligentes, en el extremo opuesto de su casa, y para ir a él le era indispensable recorrer todo el balcón de la muralla. Muchas veces le propusieron comprarle el huerto, pero él decía que le venía de familia y que los higos de sus higueras eran tan excelentes, que por nada del mundo vendería aquel pedazo de tierra.

Tellagorri era un individualista convencido, tenía el individualismo del vasco reforzado y calafateado por el individualismo de los Tellagorris. No necesitaba de nadie para vivir. Él se hacía la ropa, él se afeitaba y se cortaba el pelo, se fabricaba las abarcas, y no necesitaba de nadie, ni de mujer ni de hombre. Así al menos lo aseguraba él.

Tellagorri, cuando le tomó por su cuenta a Martín, le enseñó toda su ciencia. Le explicó la manera de acogotar una gallina sin que alborotase, le mostró la manera de coger los higos y las ciruelas de las huertas sin peligro de ser visto, y le enseñó a conocer las setas buenas de las venenosas por el color de la hierba en donde se crían.

Tellagorri era un sabio, nadie conocía la comarca como él, nadie dominaba la geografía del río Ibaya, la fauna y la flora de sus orillas y de sus aguas como este viejo cínico.

Guardaba, en los agujeros del puente romano, su aparejo y su red para cuando la veda; sabía pescar al martillo, procedimiento que se reduce a golpear algunas losas del fondo del río y luego a levantarlas, con lo que quedan las truchas que han estado debajo inmóviles y aletargadas.

Sabía cazar los peces a tiros; ponía lazos a las nutrias en la cueva de Amaviturrieta, que se hunde en el suelo y está a medias llena de agua; echaba las redes en Ocin beltz, el agujero negro en donde el río se embalsa; pero no empleaba nunca la dinamita porque, aunque vagamente, Tellagorri amaba la Naturaleza y no quería empobrecerla.

Le gustaba también a este viejo embromar a la gente: decía que nada gustaba tanto a las nutrias como un periódico con buenas noticias, y aseguraba que si se dejaba un papel a la orilla del río, estos animales salen a leerlo; contaba historias extraordinarias de la inteligencia de los salmones y de otros peces. Para Tellagorri, los perros

Iban de caza con Marquesch al monte

si no hablaban era porque no querían, pero él los consideraba con tanta inteligencia como una persona.

Cuando no tenían, el viejo y el chico, nada que hacer, iban de caza con *Marquesch* al monte. Arcale le prestaba a Tellagorri su escopeta. Tellagorri, sin motivo conocido, comenzaba a insultar a su perro. Para esto siempre tenía que emplear el castellano:

— ¡ Canalla ! ¡ Granuja ! — le decía —. ¡ Viejo cochino ! ¡ Cobarde !

Marqués contestaba a los insultos con un ladrido suave, que parecía una quejumbrosa protesta, movía la cola como un péndulo y se ponía a andar en zigzag, olfateando por todas partes. De pronto veía que algunas hierbas se movían y se lanzaba a ellas como una flecha.

Martín se divertía muchísimo con estos espectáculos. Tellagorri lo tenía como acompañante para todo, menos para ir a la taberna; allí no le quería a Martín. Al anochecer, solía decirle, cuando él iba a perorar al parlamento de casa de Arcale:

— Anda, vete a mi huerta y coge unas peras de allí, del rincón, y llévatelas a casa. Mañana me darás la llave.

Y le entregaba un pedazo de hierro que pesaba media tonelada por lo menos.

Martín recorría el balcón de la muralla. Así sabía que en casa de Tal habían plantado alcachofas y en la de Cual judías. El ver las huertas y las casas ajenas desde lo alto de la muralla, y el contemplar los trabajos de los demás, iba dando a Martín cierta inclinación a la filosofía y al robo.

Como en el fondo el joven Zalacaín era agradecido y de buena pasta, sentía por su viejo mentor un gran entusiasmo y un gran respeto. Tellagorri lo sabía, aunque daba a entender que lo ignoraba; pero en buena reciprocidad todo lo que comprendía que le gustaba al muchacho o servía para su educación, lo hacía si estaba en su mano.

Tellagorri hacía que su nieto entrara en el río cuando llevaban a bañar los caballos de la diligencia, montado en uno de ellos.

— ¡ Más adentro ! ¡ Más cerca de la presa, Martín ! — le decía.

Y Martín, riendo, llevaba los caballos hasta la misma presa.

Algunas noches, Tellagorri le llevó a Zalacaín al cementerio.

— Espérame aquí un momento — le dijo.

— Bueno.

Al cabo de media hora, al volver por allí le preguntó:

— ¿ Has tenido miedo, Martín ?

— ¿ Miedo de qué ?

— ¡ *Arrayua !* Así hay que ser — decía Tellagorri —. Hay que estar firmes, siempre firmes.

CAPÍTULO III

QUE SE REFIERE A LA NOBLE CASA DE OHANDO

A LA ENTRADA del pueblo nuevo, en la carretera, y por lo tanto, fuera de las murallas, estaba la casa más antigua y linajuda de Urbia: la casa de Ohando.

Los Ohandos constituyeron durante mucho tiempo la única aristocracia de la villa; fueron en tiempo remoto grandes hacendados y fundadores de capellanías, luego algunos reveses de fortuna y la guerra civil amenguaron sus rentas y la llegada de otras familias ricas les quitó la preponderancia absoluta que habían tenido.

La casa Ohando estaba en la carretera, lo bastante retirada de ella para dejar sitio a un hermoso jardín, en el cual, como haciendo guardia, se levantaban seis magníficos tilos. Entre los grandes troncos de estos árboles crecían viejos rosales que formaban guirnaldas en la primavera cuajadas de flores.

Otro rosal trepador, de retorcidas ramas y rosas de color de té, subía por la fachada extendiéndose como una parra y daba al viejo casarón un tono delicado y aéreo. Tenía además este jardín, en el lado que se unía con la huerta, un bosquecillo de lilas y saúcos. En los meses de Abril y Mayo, estos arbustos florecían y mezclaban sus tirsos perfumados, sus corolas blancas y sus racimillos azules.

En la casa solar, sobre el gran balcón del centro, campeaba el escudo de los fundadores tallado en arenisca roja; se veían esculpidos en él dos lobos rampantes con unas manos cortadas en la boca y un roble en el fondo. En el lenguaje heráldico, el lobo indica encarnizamiento con los enemigos; el roble, venerable antigüedad.

A juzgar por el blasón de los Ohandos, éstos eran de una familia antigua, feroz con los enemigos. Si había que dar crédito a algunas viejas historias, el escudo decía únicamente la verdad.

La parte de atrás de la casa de los hidalgos daba a una hondonada; tenía una gran galería de cristales y estaba hecha de ladrillo con entramado negro; enfrente se erguía un monte de dos mil pies, según el mapa de la provincia, con algunos caseríos en la parte baja, y en la alta, desnudo de vegetación, y sólo cubierto a trechos por encinas y carrascas.

Por un lado, el jardín se continuaba con una magnífica huerta en declive, orientada al mediodía.

La familia de los Ohandos se componía de la madre, doña Águeda, y de sus hijos Carlos y Catalina.

Doña Águeda, mujer débil, fanática y enfermiza, de muy poco carácter, estaba dominada constantemente en las cuestiones de la casa por alguna criada antigua y en las cuestiones espirituales por el confesor.

Carlos de Ohando, el hijo mayor de doña Águeda, era un muchacho cerril, obscuro, tímido y de pasiones violentas. El odio y la envidia se convertían en él en verdaderas enfermedades.

A Martín Zalacaín le había odiado desde pequeño. Cuando Martín le calentó las costillas al salir de la escuela, el odio de Carlos se convirtió en furor. Cuando le veía a Martín andar a caballo y entrar en el río, le deseaba un desliz peligroso. Le odiaba frenéticamente.

Catalina, en vez de ser obscura y cerril como su hermano Carlos, era pizpireta, sonriente, alegre y muy bonita. Cuando iba a la escuela con su carita sonrosada, un traje gris y una boina roja en la cabeza rubia, todas las mujeres del pueblo la acariciaban, las demás chicas querían siempre andar con ella y decían que, a pesar de su posición privilegiada, no era nada orgullosa. Una de sus amigas era Ignacita, la hermana de Martín.

Catalina y Martín se encontraban muchas veces y se hablaban; él la veía desde lo alto de la muralla, en el mirador de la casa, sentadita y muy formal, jugando o aprendiendo a hacer media. Ella siempre estaba oyendo hablar de las calaveradas de Martín.

— Ya está ese diablo ahí en la muralla — decía doña Águeda —. Se va a matar el mejor día. ¡ Qué demonio de chico ! ¡ Qué malo es !

Catalina ya sabía que diciendo ese demonio, o ese diablo, se referían a Martín.

Carlos alguna vez le había dicho a su hermana:

— No hables con ese ladrón.

Pero a Catalina no le parecía ningún crimen que Martín cogiera frutas de los árboles y se las comiese, ni que corriese por la muralla. A ella se le antojaban extravagancias, porque desde niña tenía un instinto de orden y tranquilidad y le parecía mal que Martín fuese tan loco.

Los Ohandos eran dueños de un jardín próximo al río, con grandes magnolias y tilos y cercado por un seto de zarzas.

Cuando Catalina solía ir allí con la criada a coger flores, Martín las seguía muchas veces y se quedaba a la entrada del seto.

— Entra si quieres — le decía Catalina.

— Bueno — y Martín entraba y hablaba de sus correrías, de las barbaridadas que iba a hacer y exponía las opiniones de Tellagorri, que le parecían artículos de fe.

— ¡ Más te valía ir a la escuela ! — le decía Catalina.

— ¡ Yo ! ¡ A la escuela ! — exclamaba Martín —. Yo me iré a América o me iré a la guerra.

Catalina y la criada entraban por un sendero del jardín lleno de rosales y hacían ramos de flores. Martín contemplaba la presa, cuyas aguas brillaban al sol como perlas y se deshacían en espumas blanquísimas.

— Yo andaría por ahí, si tuviera una lancha — decía Martín.

Catalina protestaba.

— ¿ No se te van a ocurrir más que tonterías siempre ? ¿ Por qué no eres como los demás chicos ?

— Yo les pego a todos — contestaba Martín, como si esto fuera una razón.

En la primavera, el camino próximo al río era una delicia. Las hojas nuevas de las hayas comenzaban a verdear, el helecho lanzaba al aire sus enroscados tallos, los manzanos y los perales de las huertas ostentaban sus copas nevadas por la flor y se oían los cantos de las malvices y de los ruiseñores en las enramadas. El cielo se mostraba azul, de un azul suave, un poco pálido y sólo alguna nube blanca, de contornos duros, como si fuera de mármol, aparecía en el cielo.

Los sábados por la tarde, durante la primavera y el verano, Catalina y otras chicas del pueblo, en compañía de alguna buena mujer, iban al campo santo. Llevaba cada una un cestito de flores, hacían una escobilla con los hierbajos secos, limpiaban el suelo de las lápidas en donde estaban enterrados los muertos de su familia y adornaban las cruces con rosas y con azucenas. Al volver hacia casa todas juntas, veían cómo en el cielo comenzaban a brillar las estrellas y escuchaban a los sapos, que lanzaban su misteriosa nota de flauta en el silencio del crepúsculo . . .

Muchas veces, en el mes de Mayo, cuando pasaban Tellagorri y Martín por la orilla del río, al cruzar por detrás de la iglesia, llegaban hasta ellos las voces de las niñas, que cantaban en el coro las flores de María.

Emenche gauzcatzu ama
(Aquí nos tienes, madre.)

Escuchaban un momento, y Martín distinguía la voz de Catalina, la chica de Ohando.

— Es *Catalin̄*, la de Ohando — decía Martín.

— Si no eres tonto tú, te casarás con ella — replicaba Tellagorri.

Y Martín se echaba a reír.

CAPÍTULO IV

CÓMO TELLAGORRI SUPO PROTEGER A LOS SUYOS

A LA MUERTE de la madre de Martín, Tellagorri, con gran asombro del pueblo, recogió a sus sobrinos y se los llevó a su casa. La señora de Ohando dijo que era una lástima que aquellos niños fuesen a vivir con un hombre desalmado, sin religión y sin costumbres. La buena señora se lamentó, pero no hizo nada, y Tellagorri se encargó de cuidar y alimentar a los huérfanos.

La Ignacia entró en la posada de Arcale de niñera y hasta los catorce años trabajó allí.

Martín frecuentó la escuela durante algunos meses, pero le tuvo que sacar Tellagorri antes del año porque se pegaba con todos los chicos y hasta quiso zurrar al pasante.

Arcale, que sabía que el muchacho era listo y de genio vivo, le utilizó para recadista en el coche de Francia, y cuando aprendió a guiar, de recadista le ascendieron a cochero interino y al cabo de un año le pasaron a cochero en propiedad.

Martín, a los diez y seis años, ganaba su vida y estaba en sus glorias. Se jactaba de ser un poco bárbaro y vestía un tanto majo, con la elegancia garbosa de los antiguos postillones. Llevaba chalecos de color, y en la cadena del reloj colgantes de plata. Le gustaba lucirse los domingos en el pueblo; pero no le gustaba menos los días de labor marchar en el pescante por la carretera restallando el látigo, entrar en las ventas del camino, contar y oír historias y llevar encargos.

La señora de Ohando y Catalina se los hacían con mucha frecuencia, y le recomendaban que les trajese de Francia telas, puntillas y algunas veces alhajas.

— ¿ Qué tal, Martín ? — le decía Catalina en vascuence.

— Bien — contestaba él rudamente, haciéndose más el hombre —. ¿ Y en vuestra casa ?

— Todos buenos. Cuando vayas a Francia, tienes que comprarme una puntilla como la otra. ¿ Sabes ?

— Sí, sí, ya te compraré

— ¿ Ya sabes francés ?

— Ahora empiezo a hablar.

Martín se estaba haciendo un hombretón, alto, fuerte, decidido. Abusaba un poco de su fuerza y de su valor, pero nunca atacaba a los débiles. Se distinguía también como jugador de pelota y era uno de los primeros en el trinquete.

Un invierno hizo Martín una hazaña, de la que se habló en el pueblo. La carretera estaba intransitable por la nieve y no pasaba el coche. Zalacaín fué a Francia y volvió a pie, por la parte de Navarra, con un vecino de Larrau. Pasaron los dos por el bosque de Iraty y les acometieron unos cuantos jabalíes. Ninguno de los hombres llevaba armas, pero a garrotazos mataron tres de aquellos furiosos animales, Zalacaín dos y el de Larrau otro.

Cuando Martín volvió triunfante, muerto de fatiga y

con sus dos jabalíes, el pueblo entero le consideró como un héroe.

Tellagorri también fué muy felicitado por tener un sobrino de tanto valor y audacia. El viejo, muy contento, aunque haciéndose el indiferente, decía:

— Este sobrino mío va a dar mucho que hablar. De casta le viene al galgo.

Tellagorri pagó caro el triunfo obtenido por su sobrino en la caza de los jabalíes, porque de tanto beber se puso enfermo.

La Ignacia y Martín, por consejo del médico, obligaron al viejo a que suprimiese toda bebida, fuese vino o licor; pero Tellagorri, con tal procedimiento de abstinencia, languidecía y se iba poniendo triste.

— Sin vino y sin *patharra* soy un hombre muerto — decía Tellagorri —; y, viendo que el médico no se convencía de esta verdad, hizo que llamaran a otro más joven.

Éste le dió la razón al borracho, y no sólo le recomendó que bebiera todos los días un poco de aguardiente, sino que le recetó una medicina hecha con ron. La Ignacia tuvo que guardar la botella del medicamento, para que el enfermo no se la bebiera de un trago. A medida que entraba el alcohol en el cuerpo de Tellagorri, el viejo se erguía y se animaba.

A la semana de tratamiento se encontraba tan bien, que comenzó a levantarse y a ir a la posada de Arcale, pero se creyó en el caso de hacer locuras, a pesar de sus años, y anduvo de noche entre la nieve y cogió una pleuresía.

— De ésta no sale usted — le dijo el médico incomodado, al ver que había faltado a sus prescripciones.

Tellagorri lo comprendió así y se puso serio, hizo una

confesión rápida, arregló sus cosas y, llamando a Martín, le dijo en vascuence:

— Martín, hijo mío, yo me voy. No llores. Por mí lo mismo me da. Eres fuerte y valiente y eres buen chico. No abandones a tu hermana, ten cuidado con ella. Por ahora, lo mejor que puedes hacer es llevarla a casa de Ohando. Es un poco coqueta; pero Catalina la tomará. No le olvides tampoco a *Marquesch;* es viejo, pero ha cumplido.

— No, no le olvidaré — dijo Martín sollozando.

— Ahora — prosiguió Tellagorri — te voy a decir una cosa y es que antes de poco habrá guerra. Tú eres valiente, Martín, tú no tendrás miedo de las balas. Vete a la guerra, pero no vayas de soldado. Ni con los blancos, ni con los negros. ¡ Al comercio, Martín ! ¡ Al comercio ! Venderás a los liberales y a los carlistas, harás tu pacotilla y te casarás con la chica de Ohando. Si tenéis un chico, llamadle como yo, Miguel, o José Miguel.

— Bueno — dijo Martín, sin fijarse en lo extravagante de la recomendación.

— Ahora acércate más. Cuando yo me muera, registra mi jergón y encontrarás en esta punta de la izquierda un calcetín con unas monedas de oro. Ya te he dicho, no quiero que las emplees en tierras, sino en géneros de comercio.

— Así lo haré.

— Creo que te lo he dicho todo. Ahora dame la mano. Firmes, ¿ eh ?

— Firmes.

— A esa sosa de la Ignacia — añadió poco después el viejo — le puedes dar lo que te parezca cuando se case.

A todo dijo Martín que sí. Luego acompañó al viejo,

contestando a sus preguntas, algunas muy extrañas, y por la madrugada dejó de vivir Miguel de Tellagorri, hombre de mala fama y de buen corazón.

CAPÍTULO V

CÓMO AUMENTÓ EL ODIO ENTRE MARTÍN ZALACAÍN Y CARLOS OHANDO

CUANDO murió Tellagorri, Catalina de Ohando, ya una señorita, habló a su madre para que recogiera a la Ignacia, la hermana de Martín. Era ésta, según se decía, un poco coqueta y estaba acostumbrada a los piropos de la gente de casa de Arcale.

La suposición de que la muchacha, siguiendo en la taberna, pudiese echarse a perder, influyó en la señora de Ohando para llevarla a su casa de doncella. Pensaba sermonearla hasta quitarla todos los malos resabios y dirigirla por la senda de la más estrecha virtud.

Con el motivo de ver a su hermana, Martín fué varias veces a casa de Ohando y habló con Catalina y doña Águeda. Catalina seguía hablándole de tú y doña Águeda manifestaba por él afecto y simpatía, expresados en un sin fin de advertencias y de consejos.

El verano se presentó Carlos Ohando, que venía de vacaciones del colegio de Oñate.

Pronto notó Martín que, con la ausencia, el odio que le profesaba Carlos más había aumentado que disminuído. Al comprobar este sentimiento de hostilidad, dejó de presentarse en casa de Ohando.

— No vas ahora a vernos — le dijo alguna vez que le encontró en la calle, Catalina.

— No voy, porque tu hermano me odia — contestó claramente Martín.

— No, no lo creas.

— ¡ Bah ! Yo sé lo que me digo.

El odio existía. Se manifestó primeramente en el juego de pelota.

Tenía Martín un rival en un chico navarro, de la Ribera del Ebro, hijo de un carabinero. A éste rival le llamaban *el Cacho*, porque era zurdo.

Carlos de Ohando y algunos condiscípulos suyos, carlistas que se las echaban de aristócratas, comenzaron a proteger al *Cacho* y a excitarlo y a lanzarlo contra Martín.

El Cacho tenía un juego furioso de hombre pequeño e iracundo; el juego de Martín, tranquilo y reposado, era del que está seguro de sí mismo. *El Cacho*, si comenzaba a ganar, se exaltaba, llevaba el partido al vuelo; en cambio, desanimado, no tiraba una pelota que no fuese falta.

Eran dos tipos, Zalacaín y *el Cacho*, completamente distintos; el uno, la serenidad y la inteligencia del montañés, el otro, el furor y el brío del ribereño.

Semejante rivalidad, explotada por Ohando y los señoritos de su cuerda, terminó en un partido que propusieron los amigos del *Cacho*. El desafío se concertó así; *el Cacho* e Isquiña, un jugador viejo de Urbia, contra Zalacaín y el compañero que éste quisiera tomar. El partido sería a cesta y a diez juegos.

Martín eligió como zaguero a un muchacho vasco francés que estaba de oficial en la panadería de Archipi y que se llamaba Bautista Urbide. Bautista era delgado, pero fuerte, sereno y muy dueño de sí mismo.

Se apostó mucho dinero por ambas partes. Casi todo el elemento popular y liberal estaba por Zalacaín y Urbide; los señoritos, el sacristán y la gente carlista de los caseríos por *el Cacho*.

El partido constituyó un acontecimiento en Urbia; el pueblo entero y mucha gente de los alrededores se dirigió al juego de pelota a presenciar el espectáculo. La lucha principal iba a ser entre los dos delanteros, entre Zalacaín y *el Cacho*. *El Cacho* ponía de su parte su nerviosidad, su furia, su violencia en echar la pelota baja y arrinconada; Zalacaín se fiaba en su serenidad, en su buena vista y en la fuerza de su brazo, que le permitía coger la pelota y lanzarla a lo lejos.

La montaña iba a pelear contra la llanura.

Comenzó el partido en medio de una gran expectación; los primeros juegos fueron llevados a la carrera por *el Cacho*, que tiraba las pelotas como balas unas líneas solamente por encima de la raya, de tal modo que era imposible recogerlas.

A cada jugada maestra del navarro, los señoritos y los carlistas aplaudían entusiasmados; Zalacaín sonreía, y Bautista le miraba con cierto mal disimulado pánico.

Iban cuatro juegos por nada, y ya parecía el triunfo del navarro casi seguro cuando la suerte cambió y comenzaron a ganar Zalacaín y su compañero.

Al principio, *el Cacho* se defendía bien y remataba el juego con golpes furiosos, pero luego, como si hubiese perdido el tono, comenzó a hacer faltas con una frecuencia lamentable y el partido se igualó.

Desde entonces se vió que *el Cacho* e Isquiña perdían el

El Cacho remataba el juego con golpes furiosos

juego. Estaban desmoralizados. *El Cacho* se tiraba contra la pelota con ira, hacía una falta y se indignaba; pegaba con la cesta en la tierra enfurecido y echaba la culpa de todo a su zaguero. Zalacaín y el vasco francés, dueños de la situación, guardaban una serenidad completa, corrían elásticamente y reían.

— Ahí, Bautista — decía Zalacaín —. ¡ Bien !

— Corre, Martín — gritaba Bautista —. ¡ Eso es !

El juego terminó con el triunfo completo de Zalacaín y de Urbide.

— *¡ Viva gutarrac!* (¡ Vivan los nuestros !) — gritaron los de la *calle* de Urbia aplaudiendo torpemente.

Catalina sonrió a Martín y le felicitó varias veces.

— ¡ Muy bien ! ¡ Muy bien !

— Hemos hecho lo que hemos podido — contestó él sonriente.

Carlos Ohando se acercó a Martín, y le dijo con mal ceño:

— *El Cacho* te juega mano a mano.

— Estoy cansado — contestó Zalacaín.

— ¿ No quieres jugar ?

— No. Juega tú si quieres.

Carlos, que había comprobado una vez más la simpatía de su hermana por Martín, sintió avivarse su odio. Había venido aquella vez Carlos Ohando de Oñate más sombrío, más fanático y más violento que nunca. Martín sabía el odio del hermano de Catalina y, cuando lo encontraba por casualidad, huía de él, lo cual a Carlos le producía más ira y más furor.

Martín estaba preocupado, buscando la manera de seguir los consejos de Tellagorri y de dedicarse al comercio; había dejado su oficio de cochero y entrado con Arcale en algunos negocios de contrabando.

Un día, una vieja criada de casa de Ohando, chismosa y murmuradora, fué a buscarle y le contó que la Ignacia, su hermana, coqueteaba con Carlos, el señorito de Ohando. Si doña Águeda lo notaba iba a despedir a la Ignacia, con lo cual el escándalo dejaría a la muchacha en una mala situación.

Martín, al saberlo, sintió deseos de presentarse a Carlos y de insultarle y desafiarle. Luego, pensando que lo esencial era evitar las murmuraciones, ideó varias cosas, hasta que al último le pareció lo mejor ir a ver a su amigo Bautista Urbide. Había visto al vasco francés muchas veces bailando con la Ignacia y creía que tenía alguna inclinación por ella.

El mismo día que le dieron la noticia se presentó en la tahona de Archipi en donde Urbide trabajaba. Lo encontró al vasco francés desnudo de medio cuerpo arriba en la boca del horno.

— Oye, Bautista — le dijo.

— ¿ Qué pasa ?

— Te tengo que hablar.

— Te escucho — dijo el francés mientras maniobraba con la pala.

— ¿ A ti te gusta la *Iñasi*, mi hermana ?

— ¡ Hombre ! . . . sí. ¡ Qué pregunta ! — exclamó Bautista —. ¿ Para eso vienes a verme ?

— ¿ Te casarías con ella ?

— Si tuviera dinero para establecerme, ya lo creo.

— ¿ Cuánto necesitarías ?

— Unos ochenta o cien duros.

— Yo te los doy.

— ¿ Y por qué es esa prisa ?

— He sabido que Carlos Ohando la está haciendo el amor. ¡ Y como la tiene en su casa ! . . .

— Nada, nada. Háblale tú y, si ella quiere, ya está. Nos casamos en seguida.

Se despidieron Bautista y Martín, y éste, al día siguiente, llamó a su hermana y le reprochó su coquetería y su estupidez. La Ignacia negó los rumores que habían llegado hasta su hermano, pero al último confesó que Carlos la pretendía, pero con buen fin.

— ¡ Con buen fin ! — exclamó Zalacaín —. Pero tú eres idiota, criatura.

— ¿ Por qué ?

— Porque te quiere engañar, nada más.

— Me ha dicho que se casará conmigo.

— ¿ Y tú le has creído ?

— ¡ Yo! Le he dicho que espere y que te preguntaré a ti, pero él me ha contestado que no quiere que te diga a ti nada.

— Claro. Porque yo echaría abajo sus planes. Te quiere engañar, y quiere deshonrarnos, y que el pueblo entero nos desprecie porque me odia a mí. Yo no te digo más que una cosa, que si pasa algo entre ese sacristán y tú, te despellejo a ti y a él, y le pego fuego a la casa, aunque me lleven a presidio para toda la vida.

La Ignacia se echó a llorar, pero cuando Martín le dijo que Bautista se quería casar con ella y que tenía dinero, se secaron pronto sus lágrimas.

— ¿ Bautista quiere casarse ? — preguntó la Ignacia asombrada.

— Sí.

— ¡ Pero si no tiene dinero !

— Pues ahora lo ha encontrado.

La idea del casamiento con Bautista no sólo consoló a la muchacha, sino que pareció ofrecerle un halagador porvenir.

— ¿ Y qué quieres que haga ? ¿ Salir de la casa ? — preguntó la Ignacia, secándose las lágrimas y sonriendo.

— No, por de pronto sigue ahí, es lo mejor, y dentro de unos días Bautista irá a ver a doña Águeda y a decirla que se casa contigo.

Se hizo lo acordado por los dos hermanos. En los días siguientes, Carlos Ohando vió que su conquista no seguía adelante, y el domingo, en la plaza, pudo comprobar que la Ignacia se inclinaba definitivamente del lado de Bautista. Bailaron la muchacha y el panadero toda la tarde con gran entusiasmo.

Carlos esperó a que la Ignacia se encontrara sola y la insultó y la echó en cara su coquetería y su falsedad. La muchacha, que no tenía gran inclinación por Carlos, al verle tan violento cobró por él desvío y miedo.

Poco después, Bautista Urbide se presentó en casa de Ohando, habló a doña Águeda, se celebró la boda, y Bautista y la Ignacia fueron a vivir a Zaro, un pueblecillo del país vasco francés.

CAPÍTULO VI

CÓMO INTENTÓ VENGARSE CARLOS DE MARTÍN ZALACAÍN

Carlos Ohando enfermó de cólera y de rabia. Su naturaleza, violenta y orgullosa, no podía soportar la humillación de ser vencido; sólo el pensarlo le mortificaba y le corroía el alma. En el fondo, el aplomo de Zalacaín, su contento por vivir, su facilidad para desenvolverse, ofendían a este hombre sombrío y fanático.

Además, en Carlos la idea de orden, de categoría, de subordinación, era esencial, fundamental, y Martín intentaba marchar por la vida sin cuidarse gran cosa de las clasificaciones y de las categorías sociales.

Esta audacia ofendía profundamente a Carlos y hubiese querido humillarle para siempre, hacerle reconocer su inferioridad. Por otra parte, el fracaso de su tentativa de seducción le hizo más malhumorado y sombrío.

Una noche, aún no convaleciente de su enfermedad, producida por el despecho y la cólera, se levantó de la cama, en donde no podía dormir, y bajó al comedor. Abrió una ventana y se asomó a ella. El cielo estaba sereno y puro. La luna blanqueaba las copas de los manzanos, cubiertos por la nieve de sus menudas flores. Los melocotoneros extendían a lo largo de las paredes sus ramas, abiertas en abanico, llenas de capullos. Carlos respiraba el aire tibio de la noche, cuando oyó un cuchicheo y prestó atención.

Estaba hablando su hermana Catalina, desde la ventana de su cuarto, con alguien que se encontraba en la huerta. Cuando Carlos comprendió que era con Martín con quien hablaba, sintió un dolor agudísimo y una impresión sofocante de ira.

Siempre se había de encontrar enfrente de Martín. Parecía que el destino de los dos era estorbarse y chocar el uno contra el otro.

Martín contaba bromeando a Catalina la boda de Bautista y de la Ignacia, en Zaro, el banquete celebrado en casa del padre del vasco francés, el discurso del alcalde del pueblecillo . . .

Carlos desfallecía de cólera. Martín le había impedido conquistar a la Ignacia y deshonraba, además, a los Ohandos siendo el novio de su hermana, hablando con ella de noche. Sobre todo, lo que más hería a Carlos, aunque no lo quisiera reconocer, lo que más le mortificaba en el fondo de su alma era la superioridad de Martín, que iba y venía sin reconocer categorías, aspirando a todo y conquistándolo todo. Aquel granuja de la calle era capaz de subir, de prosperar, de hacerse rico, de casarse con su hermana y de considerar todo esto lógico, natural... Era una desesperación.

Carlos hubiera gozado conquistando a la Ignacia, abandonándola luego, paseándose desdeñosamente por delante de Martín; y Martín le ganaba la partida sacando a la Ignacia de su alcance y enamorando a su hermana.

¡ Un vagabundo, un ladrón, se la había jugado a él, a un hidalgo rico heredero de una casa solariega ! Y lo que era peor, ¡ esto no sería más que el principio, el comienzo de su carrera espléndida !

Carlos, mortificado por sus pensamientos, no prestó atención a lo que hablaban; luego oyó un beso, y poco después las ramas de un árbol que se movían.

Tras de esto, se vió bajar un hombre por el tronco de un árbol, se vió que cruzaba la huerta, montaba sobre la tapia y desaparecía.

Se cerró la ventana del cuarto de Catalina, y en el mismo momento Carlos se llevó la mano a la frente y pensó con rabia en la magnífica ocasión perdida. ¡ Qué soberbio instante para concluír con aquel hombre que le estorbaba ! ¡ Un tiro a boca de jarro ! Y ya aquella mala hierba no crecería más, no ambicionaría más, no intentaría salir de su clase. Si lo mataba, todo el mundo consideraría el suyo un caso de legítima defensa contra un salteador, contra un ladrón.

Al día siguiente, Carlos buscó una escopeta de dos cañones de su padre, la encontró, la limpió a escondidas y la cargó con perdigones loberos. Estuvo vacilando en poner cartuchos con bala, pero como era difícil hacer puntería de noche, optó por los perdigones gruesos.

Ni en aquella noche, ni en la siguiente, se presentó Martín, pero cuatro días después Carlos lo sintió en la huerta. Todavía no había salido la luna y esto salvó al salteador enamorado. Carlos impaciente, al oír el ruido de las hojas, apuntó y disparó.

Al fogonazo, vío a Martín en el tronco del árbol y volvió a disparar. Se oyó un chillido agudo de mujer y el golpe de un cuerpo en el suelo. La madre de Carlos y las criadas, alarmadas salieron de sus cuartos gritando, preguntando lo que era. Catalina, pálida como una muerta, no podía hablar de emoción.

Doña Águeda, Carlos y las criadas salieron al jardín. Debajo del árbol, en la tierra y sobre la hierba húmeda, se veían algunas gotas de sangre, pero Martín había huído.

— No tenga usted cuidado, señorita — le dijo a Catalina una de las criadas —. Martín ha podido escapar.

La señora de Ohando, que se enteró de lo ocurrido por su hijo, llamó en su auxilio al cura don Félix para que la aconsejara.

Se intentó hacer comprender a Catalina el absurdo de su propósito, pero la muchacha era tenaz y estaba dispuesta a no ceder.

— Martín ha venido a darme noticias de la Ignacia, y como saben que no le quieren en la casa, por eso ha saltado la tapia.

Cuando Carlos supo que Martín estaba solamente

herido en un brazo y que se paseaba vendado por el pueblo siendo el héroe, se sintió furioso, pero por si acaso, no se atrevió a salir a la calle.

Con el atentado, la hostilidad entre Carlos y Catalina, ya existente, se acentuó de tal manera, que doña Águeda, para evitar agrias disputas, envió de nuevo a Carlos a Oñate y ella se dedicó a vigilar a su hija.

LIBRO SEGUNDO

ANDANZAS Y CORRERÍAS

CAPÍTULO PRIMERO

CÓMO MARTÍN, BAUTISTA Y CAPISTUN PASARON UNA NOCHE EN EL MONTE

UNA NOCHE de invierno marchaban tres hombres con cuatro magníficas mulas cargadas con grandes fardos. Salidos de Zaro por la tarde, se dirigían hacia los altos del monte Larrun. Costeando un arroyo que bajaba a unirse con la Nivelle y cruzando prados, llegaron a una borda, donde se detuvieron a cenar. Los tres hombres eran Martín Zalacaín, Capistun el gascón y Bautista Urbide. Llevaban una partida de uniformes y de capotes.* El alijo iba consignado a Lesaca, en donde lo recogerían los carlistas.

Después de cenar en la borda, los tres hombres sacaron las mulas y continuaron el viaje subiendo por el monte Larrun.

Era la noche fría, comenzaba a nevar. En los caminos y sendas, llenos de lodo, se resbalaban los pies; a veces una mula entraba en un charco hasta el vientre y a fuerza de fuerzas se lograba sacarla del aprieto.

Los animales llevaban mucho peso. Era preciso seguir el camino largo, sin utilizar las veredas, y la marcha se hacía pesada. Al llegar a la cumbre y al entrar en el puerto de Ibantelly, les sorprendió a los viandantes una tempestad de viento y de nieve.

Se encontraban en la misma frontera. La nieve arre-

* Véanse las Notas.

ciaba; no era fácil seguir adelante. Los tres hombres detuvieron las mulas, y mientras quedaba Capistun con ellas, Martín y Bautista se echaron uno a un lado y el otro al otro, para ver si encontraban cerca algún refugio, cabaña o choza de pastor.

Zalacaín vió a pocos pasos una casucha de carabineros cerrada.

— ¡ Eup ! ¡ Eup ! — gritó.

No contestó nadie.

Martín empujó la puerta, sujeta con un clavo, y entró dentro del chozo. Inmediatamente corrió a dar parte a los amigos de su descubrimiento. Los fardos que llevaban las mulas tenían mantas, y extendiéndolas y sujetándolas por un extremo en la choza de los carabineros y por otro en unas ramas, improvisaron un cobertizo para las caballerías.

Puestas en seguridad la carga y las mulas, entraron los tres en la casa de los carabineros y encendieron una hermosa hoguera. Bautista fabricó en un momento, con fibras de pino, una antorcha para alumbrar aquel rincón. Esperaron a que pasara el temporal y se dispusieron los tres a matar el tiempo junto a la lumbre. Capistun llevaba una calabaza llena de aguardiente de Armagnac y, mezclándolo con agua que calentaron, bebieron los tres.

Luego, como era natural, hablaron de la guerra. El carlismo se extendía y marchaba de triunfo en triunfo. En Cataluña y en el país vasco-navarro iba haciendo progresos. La República española era una calamidad. Los periódicos hablaban de asesinatos en Málaga, de incendios en Alcoy, de soldados que desobedecían a los jefes y se negaban a batirse. Era una vergüenza.

Los carlistas se apoderaban de una porción de pueblos abandonados por los liberales. Habían entrado en Estella.

En las dos orillas del Bidasoa, lo mismo en la frontera española que en la francesa, se sentía un gran entusiasmo por la causa del Pretendiente.

Los vascos, siguiendo las tendencias de su raza, marchaban a defender lo viejo contra lo nuevo. Así habían peleado en la antigüedad contra el romano, contra el godo, contra el árabe, contra el castellano, siempre a favor de la costumbre vieja y en contra de la idea nueva.

Estos aldeanos y viejos hidalgos de Vasconia y de Navarra, esta semiaristocracia campesina de las dos vertientes del Pirineo, creía en aquel Borbón, vulgar extranjero y extranjerizado, y estaban dispuestos a morir para satisfacer las ambiciones de un aventurero tan grotesco.

Los legitimistas franceses se lo figuraban como un nuevo Enrique IV; y como de allí, del Bearn, salieron en otro tiempo los Borbones para reinar en España y en Francia, soñaban con que Carlos VII triunfaría en España, acabaría con la maldita República Francesa, daría fueros a Navarra, que sería el centro del mundo y, además, restablecería el poder político del Papa en Roma.

Zalacaín se sentía muy español y dijo que los franceses eran unos cochinos, porque debían hacer la guerra en su tierra, si querían.

Capistun, como buen republicano, afirmó que la guerra en todas partes era una barbaridad.

— Paz, paz es lo que se necesita — añadió el gascón —; paz para poder trabajar y vivir.

— ¡ Ah, la paz ! — replicó Martín contradiciéndole —; es mejor la guerra.

— No, no — repuso Capistun —. La guerra es la barbarie nada más.

— ¡ Qué barbarie ! — exclamó Martín —. ¿ Se ha de

estar siempre hecho un esclavo, sembrando patatas o cuidando cerdos? Prefiero la guerra.

— ¿ Y por qué prefieres la guerra? Para robar.

— No hables, Capistun, que eres comerciante.

— ¿ Y qué?

— Qué tú y yo robamos con el libro de cuentas. Entre robar en el camino, o robar con el libro de cuentas, prefiero a los que roban en el camino.

— Si el comercio fuera un robo, no habría sociedad — repuso el gascón.

— ¿ Y qué? — dijo Martín.

— Que acabarían las ciudades.

— Para mí las ciudades están hechas por miserables y sirven para que las saqueen los hombres fuertes — dijo Martín con violencia.

— Eso es ser enemigo de la Humanidad.

Martín se encogió de hombros.

Poco después de media noche, la nieve comenzó a cesar y Capistun dió la orden de marcha. El cielo había quedado estrellado. Los pies se hundían en la nieve y se sentía un silencio de muerte.

Iba a amanecer; comenzaban a acercarse a Vera, cuando se oyeron a lo lejos varios tiros.

— ¿ Qué pasa aquí? — se preguntaron.

Tras de un instante se volvieron a oír nuevos tiros y un lejano sonido de campanas.

— Hay que ver lo que es.

Decidieron como más práctico que Capistun, con las cuatro mulas, se volviera y se encaminara despacio hacia la choza de carabineros donde habían pasado la noche. Si no ocurría nada en Vera, Bautista y Zalacaín retornarían inmediatamente. Si en dos horas no estaban allá,

Capistun debía ganar la frontera y refugiarse en Francia: en Biriatu, en Zaro, donde pudiese. Las mulas volvieron de nuevo camino del puerto, y Zalacaín y su cuñado comenzaron a bajar del monte en línea recta, saltando, deslizándose sobre la nieve, a riesgo de despeñarse. Media hora después, entraban en las calles de Alzate, cuyas puertas se veían cerradas.

Llamaron en una posada conocida. Tardaron en abrir, y al último el posadero, amedrentado, se presentó en la puerta.

— ¿ Qué pasa ? — preguntó Zalacaín.

— Que ha entrado en Vera otra vez la partida del Cura.

Bautista y Martín sabían la reputación del Cura y su enemistad con algunos generales carlistas y convinieron en que era peligroso llevar el alijo a Vera o a Lesaca, mientras anduvieran por allí las gentes del ensotanado cabecilla.

— Vamos en seguida a darle el aviso a Capistun — dijo Bautista.

— Bueno, vete tú — repuso Martín — yo te alcanzo en seguida.

— ¿ Qué vas a hacer ?

— Voy a ver si veo a Catalina.

— Yo te esperaré.

Catalina y su madre vivían en una magnífica casa de Alzate. Llamó Martín en ella, y a la criada, que ya le conocía, la dijo:

— ¿ Está Catalina ?

— Sí . . . Pasa.

Entró en la cocina. Era ésta grande y espaciosa y algo obscura. Alrededor de la ancha campana de la chimenea colgaba una tela blanca planchada, sujeta por clavos. Del centro de la campana bajaba una gruesa cadena negra, en cuyo garfio final se enganchaba un caldero. A un lado de la chimenea, había un banquillo de piedra, sobre el cual estaban en fila tres herradas con los aros de hierro brillantes, como si fueran de plata. En las paredes se veían cacerolas de cobre rojizo y todos los chismes de la cocina de la casa, desde las sartenes y cucharas de palo, hasta el calentador, que también figuraba colgado en la pared como parte integrante de la batería de cocina.

Aquel orden parecía algo absurdo y extraordinario, contrastado con la agitación exterior.

La criada había subido la escalera y, tras de algún tiempo, bajó Catalina envuelta en un mantón.

— ¿ Eres tú ? — dijo sollozando.

— Sí, ¿ qué pasa ?

Catalina, llorando, contó que su madre estaba muy enferma, su hermano se había ido con los carlistas y a ella querían meterla en un convento.

— ¿ A dónde te quieren llevar ?

— No sé, todavía no se ha decidido.

— Cuando lo sepas, escríbeme.

— Sí, no tengas cuidado. Ahora véte, Martín, porque mi madre habrá oído que estamos hablando y, como ha sentido los tiros hace poco, está muy alarmada.

Efectivamente, se oyó poco después una voz débil que exclamaba:

— ¡ Catalina ! ¡ Catalina ! ¿ Con quién hablas ?

Catalina tendió la mano a Martín, quien la estrechó en sus brazos. Ella apoyó la cabeza en el hombro de su novio y, viendo que la volvían a llamar, subió la escalera. Zalacaín la contempló absorto y luego abrió la puerta de la casa, la cerró despacio y, al encontrarse en la calle, se vió con un espectáculo inesperado. Bautista discutía a gritos con tres hombres armados, que no parecían tener para él muy buenas disposiciones.

— ¿ Qué pasa ? — preguntó Martín.

Pasaba, sencillamente, que aquellos tres individuos eran de la partida del Cura y habían presentado a Bautista Urbide este sencillo dilema:

« O formar parte de la partida o quedar prisionero y recibir además, de propina, una tanda de palos. »

Martín iba a lanzarse a defender a su cuñado cuando vió que a un extremo de la calle aparecían cinco o seis mozos armados. En el otro esperaban diez o doce. Con su rápido instinto de comprender la situación, Martín se dió cuenta de que no había más remedio que someterse y dijo a Bautista, en vascuence, aparentando gran jovialidad:

— ¡ Qué demonio, Bautista ! ¿ No querías tú entrar en una partida ? ¿ No somos carlistas ? Pues ahora estamos a tiempo.

Uno de los tres hombres, viendo como se explicaba Zalacaín, exclamó satisfecho:

— *¡ Arrayua !* Éste es de los nuestros. Venid los dos.

El tal hombre era un aldeano alto, flaco, vestido con un uniforme destrozado y una pipa de barro en la boca. Parecía el jefe y le llamaban Luschía.

Martín y Bautista siguieron a los mozos armados, pasaron de Alzate a Vera y se detuvieron en una casa, en cuya puerta había un centinela.

— ¡ Bajadlos ! ¡ Bajadlos ! — dijo Luschía a su gente.

Cuatro mozos entraron en el portal y subieron por la escalera.

Luschía, mientras tanto, preguntó a Martín:

— ¿ Vosotros de dónde sois ?

— De Zaro.

— ¿ Sois franceses ?

— Sí — dijo Bautista.

Martín no quiso decir que él no lo era, sabiendo que el decir que era francés podía protegerle.

— Bueno, bueno — murmuró el jefe.

Los cuatro aldeanos de la partida que habían entrado en la casa trajeron a dos viejos.

— ¡ Atadlos ! — dijo Luschía, el aldeano de la pipa.

Sacaron a la calle un tambor de regimiento y un cesto, y a los dos viejos los ataron.

— ¿ Qué es lo que han hecho ? — preguntó Martín a uno de la partida que llevaba una boina a rayas.

— Que son traidores — contestó éste.

El uno era un maestro de escuela y el otro un expartidario de la guerrilla del Cura.

Cuando estuvieron las dos víctimas atadas y con las espaldas desnudas, el ejecutor de la justicia, el mozo de la boina a rayas, se remangó el brazo y cogió una vara.

El maestro de escuela, suplicante, imploró:

— ¡ Pero si todos somos unos !

El exguerrillero no dijo nada.

No hubo apelación ni misericordia. Al primer golpe, el maestro de escuela perdió el sentido; el otro, el antiguo lugarteniente del Cura, calló y comenzó a recibir los palos con un estoicismo siniestro.

Luschía se puso a hablar con Zalacaín. Éste le contó una porción de mentiras. Entre ellas le dijo que él mismo había guardado cerca de Urdax, en una cueva, más de treinta fusiles modernos. El hombre oía y, de cuando en cuando, volviéndose al ejecutor de sus órdenes, decía:

— *¡ Jo! ¡ Jo!* (Pega, pega).

Y volvía a caer la vara sobre las espaldas desnudas.

CAPÍTULO II

DE ALGUNOS HOMBRES DECIDIDOS QUE FORMABAN LA PARTIDA DEL CURA

CONCLUÍDA la paliza, Luschía dió la orden de marcha, y los quince o veinte hombres tomaron hacia Oyarzun, por el camino que pasa por la Cuesta de la Agonía.

La partida iba en dos grupos; en el primero marchaba Martín y en el segundo Bautista.

Ninguno de la partida tenía mal aspecto ni aire patibulario. La mayoría parecían campesinos del país; casi todos llevaban traje negro, boina azul pequeña, y algunos, en vez de botas, calzaban abarcas con pieles de carnero, que les envolvían las piernas.

Luschía, el jefe, era uno de los tenientes del Cura y además capitaneaba su guardia negra. Sin duda, gozaba de la confianza del cabecilla. Era alto, huesudo, de nariz fenomenal, enjuto y seco.

Tenía Luschía una cara que siempre daba la impresión de verla de perfil, y la nuez puntiaguda. Parecía buena persona hasta cierto punto, insinuante y jovial. Consideraba, sin duda, una magnífica adquisición la de Zalacaín y Bautista, pero desconfiaba de ellos y, aunque no como prisioneros, los llevaba separados y no les dejaba hablar a solas.

Luschía tenía también sus lugartenientes; Praschcu, Belcha y el Corneta de Lasala. Praschcu era un mocetón grueso, barbudo, sonriente y rojo, que, a juzgar por sus palabras, no pensaba más que en comer y en beber bien. Durante el camino no habló más que de guisos y de comidas, de la cena que le quitaron al cura de tal pueblo o al maestro de escuela de tal otro, del cordero asado que comieron en este caserío y de las botellas de sidra que encontraron en una taberna. Para Praschcu la guerra no era más que una serie de comilonas y de borracheras.

Belcha y el Corneta de Lasala iban acompañando a Bautista.

A Belcha (el negrito) le llamaban así por ser pequeño y moreno; el Corneta de Lasala ostentaba una cicatriz violácea que le cruzaba la frente. Su apodo procedía de su oficio de capataz, de los que dan la señal para el comienzo y el paro del trabajo con una bocina.

Los de la partida llegaron a media noche a Arichulegui, un monte cercano a Oyarzun, y entraron en una borda próxima a la ermita. Esta borda era la guarida del Cura. Allí estaba su depósito de municiones.

El cabecilla no estaba. Guardaba la borda un retén de unos veinte hombres. Se hizo pronto de noche. Zalacaín y Bautista comieron un rancho de habas y durmieron sobre una hermosa cama de heno seco.

Al día siguiente, muy de mañana, sintieron los dos que les despertaban de un empujón; se levantaron y oyeron la voz de Luschía:

— Hala. Vamos andando.

Era todavía de noche; la partida estuvo lista en un momento. Al mediodía se detuvieron en Fagollaga y al anochecer llegaban a una venta próxima a Andoain, en donde hicieron alto. Entraron en la cocina. Según dijo Luschía, allí se encontraba el Cura.

Efectivamente, poco después, Luschía llamó a Zalacaín y a Bautista.

— Pasad — les dijo.

Subieron por la escalera de madera hasta el desván y llamaron en una puerta.

— ¿ Se puede? — preguntó Luschía.

— Adelante.

Zalacaín, a pesar de ser templado, sintió un ligero estremecimiento en todo el cuerpo, pero se irguió y entró sonriente en el cuarto. Bautista llevaba el ánimo de protestar.

— Yo hablaré — dijo Martín a su cuñado —, tú no digas nada.

A la luz de un farol, se veía un cuarto, de cuyo techo colgaban mazorcas de maíz, y una mesa de pino, a la cual estaban sentados dos hombres. Uno de ellos era el Cura, el otro su teniente, un cabecilla conocido por el apodo de *el Jabonero*.

— Buenas noches — dijo Zalacaín en vascuence.

— Buenas noches — contestó *el Jabonero* amablemente.

El Cura no contestó. Estaba leyendo un papel. Era un hombre regordete, más bajo que alto, de tipo insignificante, de unos treinta y tantos años. Lo único que le daba carácter era la mirada, amenazadora, oblicua y dura.

Al cabo de algunos minutos, el Cura levantó la vista y dijo:

— Buenas noches.

Luego siguió leyendo.

Había en todo aquello algo ensayado para infundir terror. Zalacaín lo comprendió y se mostró indiferente y contempló sin turbarse al Cura. Llevaba éste la boina negra inclinada sobre la frente, como si temiera que le mirasen a los ojos; gastaba barba ya ruda y crecida, el pelo corto, un pañuelo en el cuello, un chaquetón negro con todos los botones abrochados y un garrote entre las piernas.

Aquel hombre tenía algo de esa personalidad enigmática de los seres sanguinarios, de los asesinos y de los verdugos; su fama de cruel y de bárbaro se extendía por toda España. Él lo sabía y, probablemente, estaba orgulloso del terror que causaba su nombre. En el fondo era un pobre diablo histérico, enfermo, convencido de su misión providencial. Nacido, según se decía, en el arroyo, en Elduayen, había llegado a ordenarse y a tener un curato en un pueblecito próximo a Tolosa. Un día estaba celebrando misa, cuando fueron a prenderle. Pretextó el Cura el ir a quitarse los hábitos y se tiró por una ventana y huyó y empezó a organizar su partida.

Aquel hombre siniestro se encontró sorprendido ante la presencia y la serenidad de Zalacaín y de Bautista, y sin mirarles les preguntó:

— ¿ Sois vascongados ?

— Sí — dijo Martín avanzando.

— ¿ Qué hacíais ?

— Contrabando de armas.

— ¿ Para quién ?

— Para los carlistas.

— ¿ Con qué comité os entendíais ?

— Con Bayona.

— ¿ Qué fusiles habéis traído ?

— Berdan y Chassepot.

— ¿ Es verdad que tenéis armas escondidas cerca de Urdax ?

— Ahí y en otros puntos.

— ¿ Para quién las traíais ?

— Para los navarros.

— Bueno. Iremos a buscarlas. Si no las encontramos, os fusilaremos.

— Está bien — dijo fríamente Zalacaín.

— Marchaos — repuso el Cura, molesto por no haber intimidado a sus interlocutores. 5

Al salir, en la escalera, *el Jabonero* se acercó a ellos. Éste tenía aspecto de militar, de hombre amable y bien educado. Había sido guardia civil.

— No temáis — dijo —. Si cumplís bien, nada os pasará. 10

— Nada tememos — contestó Martín.

Fueron los tres a la cocina de la posada, y *el Jabonero* se mezcló entre la gente de la partida, que esperaba la cena. Se reunieron en la misma mesa *el Jabonero*, Luschía, Belcha, el Corneta de Lasala y uno gordo, a quien llamaban Anchusa. 15

El Jabonero no quiso aceptar en la mesa a Praschcu, porque dijo que si a aquel bárbaro le ponían a comer al principio, no dejaba nada a los demás.

El posadero trajo la cena y una porción de botellas de vino y de sidra, y, como la caminata desde Arichulegui hasta allá les había abierto el apetito, se lanzaron sobre las viandas como fieras hambrientas. 20

Estaban cenando, cuando llamaron a la puerta:

— ¿ Quién va ? — dijo el posadero. 25

— Yo. Un amigo — contestaron de fuera.

— ¿ Quién eres tú ?

— Ipintza, *el Loco*.

— Pasa.

Se abrió la puerta y entró un viejo mendigo envuelto en una anguarina parda, con una de las mangas atadas y convertida en bolsillo. Dantchari *el Estudiante* le co- 30 nocía y dijo que era un vendedor de canciones a quien tenían por loco, porque cantaba y bailaba recitándolas.

Se sentó Ipintza, *el Loco*, a la mesa y le dió el posadero las sobras de la cena. Luego se acercó al grupo que formaban los hombres de la partida alrededor de la chimenea.

— ¿ No queréis alguna canción ? — dijo.

— ¿ Qué canciones tienes ? — le preguntó *el Estudiante*.

— Tengo muchas. La de la mujer que se queja del marido, la del marido que se queja de la mujer, Pello Joshepe . . .

— Todo eso es viejo.

Praschcu echó unas cuantas brazadas de ramas secas. Chisporroteó el fuego alegremente; después, unos se pusieron a jugar al mus y Bautista lució su magnífica voz cantando varios zortzicos.

Más tarde cada cual fué a acostarse donde pudo, y Martín le dijo a Bautista en francés:

— Cuidado, eh. Hay que estar preparados para escapar a la mejor ocasión.

Bautista movió la cabeza afirmativamente, dando a entender que no se olvidaba.

CAPÍTULO III

CÓMO LA PARTIDA DEL CURA DETUVO LA DILIGENCIA CERCA DE ANDOAIN

Al tercer día de estar en la venta, la inacción era grande, y entre *el Jabonero* y Luschía acordaron detener aquella mañana la diligencia que iba desde San Sebastián a Tolosa. Se dispuso la gente a lo largo del camino, de dos en dos; los más lejanos irían avisando cuando apareciera la diligencia y replegándose junto a la venta.

Martín y Bautista se quedaron con el Cura y *el Jabonero*, porque el cabecilla y su teniente no tenían bastante confianza en ellos.

A eso de las once de la mañana, avisaron la llegada del coche. Los hombres que espiaban el paso fueron acercándose a la venta, ocultándose por los lados del camino. El coche iba casi lleno. El Cura, *el Jabonero* y los siete u ocho hombres que estaban con ellos se plantaron en medio de la carretera.

Al acercarse el coche, el Cura levantó su garrote y gritó:

— ¡ Alto !

Anchusa y Luschía se agarraron a la cabezada de los caballos y el coche se detuvo.

— *¡ Arrayua !* ¡ El Cura ! — exclamó el cochero en voz alta —. Nos hemos fastidiado.

— Abajo todo el mundo — mandó el Cura.

Egozcue abrió la portezuela de la diligencia. Se oyó en el interior un coro de exclamaciones y de gritos.

— Vaya. Bajen ustedes y no alboroten — dijo Egozcue con finura.

Bajaron primero dos campesinos vascongados y un cura; luego, un hombre rubio, al parecer extranjero, y después saltó una muchacha morena, que ayudó a bajar a una señora gruesa, de pelo blanco.

— Pero Dios mío, ¿ adónde nos llevan ? — exclamó ésta.

Nadie le contestó.

— ¡ Anchusa ! ¡ Luschía ! Desenganchad los caballos — gritó el Cura —. Ahora, todos a la posada.

Anchusa y Luschía llevaron los caballos y no quedaron con el Cura más que unos ocho hombres, contando con Bautista, Zalacaín y Joshé Cracasch.

— Acompañad a éstos — dijo el cabecilla a dos de sus hombres, señalando a los campesinos y al cura.

— Vosotros — e indicó a Bautista, Zalacaín, Joshé Cracasch y otros dos hombres armados — id con la señora, la señorita y este viajero.

La señora gruesa lloraba afligida.

— Pero, ¿ nos van a fusilar ? — preguntó gimiendo.

— ¡ Vamos ! ¡ Vamos ! — dijo uno de los hombres armados, brutalmente.

La señora se arrodilló en el suelo, pidiendo que la dejaran libre.

La señorita, pálida, con los dientes apretados, lanzaba fuego por los ojos.

— Ande usted, señora — dijo Martín —, que no les pasará nada.

— Pero, ¿adónde ? — preguntó ella.

— A la posada, que está aquí cerca.

La joven nada dijo, pero lanzó a Martín una mirada de odio y de desprecio.

Las dos mujeres y el extranjero comenzaron a marchar por la carretera.

— Atención, Bautista — dijo Martín en francés —, tú al uno, yo al otro. Cuando no nos vean.

El extranjero, extrañado, en el mismo idioma preguntó:

— ¿ Qué van ustedes a hacer ?

— Escaparnos. Vamos a quitar los fusiles a estos hombres. Ayúdenos usted.

Los dos hombres armados, al oír que se entendían en una lengua que ellos no comprendían, entraron en sospechas.

Bajen ustedes y no alboroten

— ¿ Qué habláis ? — dijo uno, retrocediendo y preparando el fusil.

No tuvo tiempo de hacer nada, porque Martín le dió un garrotazo en el hombro y le hizo tirar el fusil al suelo, 5 Bautista y el extranjero forcejearon con el otro y le quitaron el arma y los cartuchos. Joshé Cracasch estaba como en babia.

Las dos mujeres, viéndose libres, echaron a correr por la carretera, en dirección a Hernani. Cracasch las siguió. 10 Éste llevaba una mala escopeta, que podía servir en último caso. El extranjero y Martín tenían cada uno su fusil, pero no contaban más que con pocos cartuchos. A uno le habían podido quitar la cartuchera, al otro fué imposible. Éste volaba corriendo a dar parte a los de la 15 partida.

El extranjero, Martín y Bautista corrieron y se reunieron con las dos mujeres y con Joshé Cracasch. La ventaja que tenían era grande, pero las mujeres corrían poco; en cambio, la gente del Cura en cuatro saltos se 20 plantaría junto a ellos.

— ¡ Vamos ! ¡ Ánimo ! — decía Martín —. En una hora llegamos.

— No puedo — gemía la señora —. No puedo andar más.

25 — ¡ Bautista ! — exclamó Martín —. Corre a Hernani, busca gente y tráela. Nosotros nos defenderemos aquí un momento.

— Iré yo — dijo Joshé Cracasch.

— Bueno, entonces deja el fusil y las municiones.

30 Tiró el músico el fusil y la cartuchera y echó a correr, como alma que lleva el diablo.

— No me fío de ese músico simple — murmuró Martín —. Vete tú, Bautista. La lástima es que quede un arma inútil.

— Yo dispararé — dijo la muchacha.

Se volvieron a hacer frente, porque los hombres de la partida se iban acercando.

Silbaban las balas. Se veía una nubecilla blanca y pasaba al mismo tiempo una bala por encima de las cabezas de los fugitivos. El extranjero, la señorita y Martín se guarecieron cada uno detrás de un árbol y se repartieron los cartuchos. La señora vieja, sollozando, se tiró en la hierba, por consejo de Martín.

— ¿ Es usted buen tirador ? — preguntó Zalacaín al extranjero.

— ¿ Yo ? Sí. Bastante regular.

— ¿ Y usted, señorita ?

— También he tirado algunas veces.

Seis hombres se fueron acercando a unos cien metros de donde estaban guarecidos Martín, la señorita y el extranjero. Uno de ellos era Luschía.

— A ese ciudadano le voy a dejar cojo para toda su vida — dijo el extranjero.

Efectivamente, disparó y uno de los hombres cayó al suelo dando gritos.

— Buena puntería — dijo Martín.

— No es mala — contestó fríamente el extranjero.

Los otros cinco hombres recogieron al herido y lo retiraron hacia un declive. Luego, cuatro de ellos, dirigidos por Luschía, dispararon al árbol de dónde había salido el tiro. Creían, sin duda, que allí estaban refugiados Martín y Bautista y se fueron acercando al árbol. Entonces disparó Martín e hirió a uno en una mano.

Quedaban solo tres hábiles, y, retrocediendo y arrimándose a los árboles, siguieron haciendo disparos.

— ¿ Habrá descansado algo su madre ? — preguntó Martín a la señorita.

— Sí.

— Que siga huyendo. Vaya usted también.

— No, no.

— No hay que perder tiempo — gritó Martín, dando una patada en el suelo —. Ella sola o con usted. ¡ Hala ! En seguida.

La señorita dejó el fusil a Martín y, en unión de su madre, comenzó a marchar por la carretera.

El extranjero y Martín esperaron, luego fueron retrocediendo sin disparar, hasta que, al llegar a una vuelta del camino, comenzaron a correr con toda la fuerza de sus piernas. Pronto se reunieron con la señora y su hija. La carrera terminó a la media hora, al oír que las balas comenzaban a silbar por encima de sus cabezas.

Allí no había árboles donde guarecerse, pero sí unos montes de piedra machacada para el lecho de la carretera, y en uno de ellos se tendió Martín y en el otro el extranjero. La señora y su hija se echaron en el suelo.

Al poco tiempo, aparecieron varios hombres; sin duda, ninguno quería acercarse y llevaban la idea de rodear a los fugitivos y de cogerlos entre dos fuegos. Cuatro hombres fueron a campo traviesa por entre maizales, por un lado de la carretera, mientras otros cuatro avanzaban por otro lado, entre manzanos.

— Si Bautista no viene pronto con gente, creo que nos vamos a ver apurados — exclamó Martín.

La señora, al oírle, lanzó nuevos gemidos y comenzó a lamentarse, con grandes sollozos, de haber escapado.

El extranjero sacó un reloj y murmuró:

— Tenía tiempo. No habrá encontrado nadie.

— Eso debe ser — dijo Martín.

— Veremos si aquí podemos resistir algo — repuso el extranjero.

— ¡ Hermoso día ! — murmuró Martín.

— La verdad es que un día tan hermoso convida a todo, hasta a que le peguen a uno un tiro.

— Por si acaso, habrá que evitarlo en lo posible.

Dos o tres balas pasaron silbando y fueron a estrellarse en el suelo.

— ¡ Rendíos ! — dijo la voz de Belcha, por entre unos manzanos.

— Venid a cogernos — gritó Martín, y vió que uno le apuntaba en el monte, desde cerca de un árbol; él apuntó a su vez, y los dos tiros sonaron casi simultáneamente. Al poco tiempo, el hombre volvió a aparecer más cerca, escondido entre unos helechos, y disparó sobre Martín.

Éste sintió un golpe en el muslo y comprendió que estaba herido. Se llevó la mano al sitio de la herida y notó una cosa tibia. Era sangre. Con la mano ensangrentada cogió el fusil y, apoyándose en las piedras, apuntó y disparó. Luego sintió que se le iban las fuerzas al perder la sangre, y cayó desmayado.

El extranjero aguardó un momento, pero, en aquel instante, una compañía de miqueletes avanzaba por la carretera, corriendo y haciendo disparos, y la gente del Cura se retiraba.

CAPÍTULO IV

CÓMO CUIDÓ LA SEÑORITA DE BRIONES A MARTÍN ZALACAÍN

Cuando de nuevo pudo darse Martín Zalacaín cuenta de que vivía, se encontró en la cama, entre cortinas tupidas. Hizo un esfuerzo para moverse y se sintió muy débil y con un ligero dolor en el muslo. Recordó vagamente lo pasado, la lucha en la carretera, y quiso saber dónde estaba.

— ¡ Eh ! — gritó con voz apagada.

Las cortinas se abrieron y una cara morena, de ojos negros, apareció entre ellas.

— Por fin. ¡ Ya se ha despertado usted !

— Sí. ¿ Dónde me han traído ?

— Luego le contaré a usted todo — dijo la muchacha morena.

— ¿ Estoy prisionero ?

— No, no; está usted aquí en seguridad.

— ¿ En qué pueblo ?

— En Hernani.

— Ah, vamos. ¿ No me podrían abrir esas cortinas ?

— No, por ahora no. Dentro de un momento vendrá el médico y, si le encuentra a usted bien, abriremos las cortinas y le permitiremos hablar. Con que ahora siga usted durmiendo.

Martín sentía la cabeza débil y no le costó mucho trabajo seguir el consejo de la muchacha.

Al mediodía llegó el médico, que reconoció a Martín la herida, le tomó el pulso y dijo:

— Ya puede empezar a comer.

— ¿ Y le dejaremos hablar, doctor ? — preguntó la muchacha.

— Sí.

Se fué el doctor, y la muchacha de los ojos negros descorrió las cortinas y Martín se encontró en una habitación grande, algo baja de techo, por cuya ventana entraba un dorado sol de invierno. Pocos instantes después, apareció Bautista en el cuarto, de puntillas.

— Hola, Bautista — dijo Martín burlonamente —. ¿ Qué te ha parecido nuestra primera aventura de guerra ? ¿ Eh ?

— ¡ Hombre ! A mí, bien — contestó el cuñado —. A ti quizá no te haya parecido tan bien.

— ¡ Pse ! Ya hemos salido de ésta.

La muchacha de los ojos negros, a quien al principio no reconoció Martín, era la señorita a quien habían hecho bajar del coche los de la partida del Cura y después se había fugado con ellos en compañía de su madre.

Esta señorita le contó a Martín cómo le llevaron hasta Hernani y le extrajeron la bala.

— Y yo no me he dado cuenta de todo esto — dijo Martín —. ¿ Cuánto tiempo llevo en la cama ?

— Cuatro días ha estado usted con una fiebre altísima.

— ¿ Cuatro días ?

— Sí.

— Por eso estoy rendido. ¿ Y su madre de usted ?

— También ha estado enferma, pero ya se levanta.

— Me alegro mucho. ¿ Sabe usted ? Es raro — dijo Martín — no me parece usted la misma que vino en la carretera con nosotros.

— ¿ No ?

— No.

— ¿ Y por qué ?

— Le brillaban a usted los ojos de una manera tan rara, así como dura . . .

— ¿ Y ahora no ?

— Ahora no, ahora me parecen sus ojos muy suaves.

La muchacha se ruborizó sonriendo.

— La verdad es — dijo Bautista — que has tenido suerte. Esta señorita te ha cuidado como a un rey.

— ¡ Qué menos podía hacer por uno de nuestros salvadores ! — exclamó ella ocultando su confusión. — Oh, pero no hable usted tanto. Para el primer día es demasiado.

— Una pregunta sólo — dijo Martín.

— Veamos la pregunta — contestó ella.

— Quisiera saber cómo se llama usted.

— Rosa Briones.

— Muchas gracias, señorita Rosa — murmuró.

— ¡ Oh ! no me llame usted señorita. Llámeme usted Rosa o Rosita, como me dicen en casa.

— Es que yo no soy caballero — repuso Martín.

— ¡ Pues si usted no es caballero, quién lo será ! — dijo ella.

Martín se sintió halagado y, como Rosa le indicó que callara, llevándose el dedo a los labios, cerró los ojos . . .

Muchas veces, para distraer al herido, Rosa le leyó novelas de Dumas y poesías de Bécquer. Martín nunca había oído versos y le hicieron un efecto admirable, pero lo que más le sorprendió fué la discreción de los comentarios de Rosita. No se le escapaba nada.

Pronto Martín pudo levantarse y, cojeando, andar por la casa. Un día que contaba su vida y sus aventuras, Rosita le preguntó de pronto:

— ¿ Y Catalina quién es ? ¿ Es su novia de usted ?

— Sí. ¿ Cómo lo sabe usted ?

— Porque ha hablado usted mucho de ella durante el delirio.

— ¡ Ah ! 5

— ¿ Y es guapa ?

— ¿ Quién ?

— Su novia.

— Sí, creo que sí.

— ¿ Cómo ? ¿ Cree usted nada más ? 10

— Es que la conozco desde chico y estoy tan acostumbrado a verla que casi no sé cómo es.

— ¿ Pero no está usted enamorado de ella ?

— No sé, la verdad.

— ¡ Qué cosa más rara ! ¿ Qué tipo tiene ? 15

— Es así . . . algo rubia . . .

— ¿ Y tiene hermosos ojos ?

— No tanto como usted — dijo Martín.

A Rosita Briones le centellearon los ojos y envolvió a Martín en una de sus miradas enigmáticas. 20

Una tarde se presentó en Hernani el hermano de Rosita. Era un joven fino, atento, pero poco comunicativo.

Doña Pepita le puso a Zalacaín delante de su hijo como un salvador, como un héroe.

Al día siguiente, Rosita y su madre iban a San Sebastián, para marcharse desde allí a Logroño. Les acompañó Martín y su despedida fué muy afectuosa. Doña Pepita le abrazó y Rosita le estrechó la mano varias veces y le dijo imperiosamente: 25

— Vaya usted a vernos. 30

— Sí, ya iré.

— Pero que sea de veras.

Los ojos de Rosita prometían mucho.

Al marcharse madre e hija, Martín pareció despertar de un sueño; se acordó de sus negocios, de su vida, y sin pérdida de tiempo se fué a Francia.

CAPÍTULO V

CÓMO MARTÍN ZALACAÍN BUSCÓ NUEVAS AVENTURAS

5 UNA NOCHE de invierno llovía en las calles de San Juan de Luz; algún mechero de gas temblaba a impulsos del viento, y de las puertas de las tabernas salían voces y sonido de acordeones.

En Socoa, que es el puerto de San Juan de Luz, en una
10 taberna de marineros, cuatro hombres, sentados en una mesa, charlaban. De cuando en cuando, uno de ellos abría la puerta de la taberna, avanzaba en el muelle silencioso, miraba al mar y al volver decía:

— Nada, la *Fleche* no viene aún.

15 El viento silbaba en bocanadas furiosas sobre la noche y el mar negros, y se oía el ruido de las olas azotando la pared del muelle.

En la taberna, Martín, Bautista, Capistun y un hombre viejo, a quien llamaban Ospitalech, hablaban; hablaban
20 de la guerra carlista, que seguía como una enfermedad crónica sin resolverse.

— La guerra acaba — dijo Martín.

— ¿ Tú crees ? — preguntó el viejo Ospitalech.

— Sí, esto marcha mal, y yo me alegro — dijo Capistun.

— No, todavía hay esperanza — repuso Ospitalech.

— El bombardeo de Irún ha sido un fracaso completo para los carlistas — dijo Martín —. ¡ Y qué esperanzas tenían todos estos legitimistas franceses ! Hasta los hermanos de la Doctrina Cristiana habían dado vacaciones 5 a los niños para que fuesen a la frontera a ver el espectáculo. ¡ Canallas ! Y ahí vimos a ese arrogante don Carlos, con sus terribles batallones, echando granadas y granadas, para tener luego que escaparse corriendo hacia Vera.

— Si la guerra se pierde, nos arruinamos — murmuró 10 Ospitalech.

Capistun estaba tranquilo, pensaba retirarse a vivir a su país; Bautista, con las ganancias del contrabando, había extendido sus tierras. De los tres, Zalacaín no estaba contento. Si no le hubiese retenido el pensa- 15 miento de encontrar a Catalina, se hubiera ido a América. Llevaba ya más de un año sin saber nada de su novia; en Urbia se ignoraba su paradero, se decía que doña Águeda había muerto, pero no se hallaba confirmada la noticia.

De estos cuatro hombres de la taberna de Socoa, los 20 dos contentos, Bautista y Capistun, charlaban; los otros dos rabiaban y se miraban sin hablarse. Afuera llovía y venteaba.

— ¿ Alguno de vosotros se encargaría de un negocio difícil, en que hay que exponer la pelleja ? — preguntó 25 de pronto Ospitalech.

— Yo no — dijo Capistun.

— Ni yo — contestó distraídamente Bautista.

— ¿ De qué se trata ? — preguntó Martín.

— Se trata de hacer un recorrido por entre las filas 30 carlistas y conseguir que varios generales y, además, el mismo don Carlos, firmen unas letras.

— ¡ Demonio ! No es fácil la cosa — exclamó Zalacaín.

— Ya lo sé que no; pero se pagaría bien.

— ¿ Cuánto ?

— El patrón ha dicho que daría el veinte por ciento, si le trajeran las letras firmadas.

— ¿ Y a cuánto asciende el valor de las letras ?

— ¿ A cuánto ? No sé de seguro la cantidad. ¿ Pero es que tú irías ?

— ¿ Por qué no ? Si se gana mucho . . .

— Pues entonces espera un momento. Parece que llega el barco, luego hablaremos.

Efectivamente, se había oído en medio de la noche un agudo silbido. Los cuatro salieron al puerto y se oyó el ruido de las aguas removidas por una hélice, y luego aparecieron unos marineros en la escalera del muelle, que sujetaron la amarra en un poste.

— ¡ Eup ! Manisch — gritó Ospitalech.

— ¡ Eup ! — contestaron desde el mar.

— ¿ Todo bien ?

— Todo bien — respondió la voz.

— Bueno, entremos—añadió Ospitalech— que la noche está de perros.

Volvieron a meterse en la taberna los cuatro hombres, y poco después se unieron a ellos Manisch, el patrón del barco la *Fleche*, que al entrar se quitó el sudeste, y dos marineros más.

— ¿ De manera que tú estás dispuesto a encargarte de ese asunto ? — preguntó Ospitalech a Martín.

— Sí.

— ¿ Solo ?

— Solo.

— Bueno, vamos a dormir. Por la mañana iremos a ver al principal y te dirá lo que se puede ganar.

Al día siguiente, muy temprano, se levantó Martín y con Ospitalech tomó el tren para Bayona. Fueron los dos a casa de un judío que se llamaba Levi-Álvarez. Era éste un hombre bajito, entre rubio y canoso, con la nariz arqueada, el bigote blanco y los anteojos de oro. Ospitalech era dependiente del señor Levi-Álvarez y contó a su principal cómo Martín se brindaba a realizar la expedición difícil de entrar en el campo carlista para volver con las letras firmadas.

— ¿ Cuánto quiere usted por eso ? — preguntó Levi-Álvarez.

— El veinte por ciento.

— ¡ Caramba ! Es mucho.

— Está bien, no hablemos, me voy.

— Espere usted. ¿ Sabe usted que las letras ascienden a ciento veinte mil duros ? El veinte por ciento sería una cantidad enorme.

— Es lo que me ha ofrecido Ospitalech. Eso o nada.

— ¡ Qué barbaridad ! No tiene usted consideración . . .

— Es mi última palabra. Eso o nada.

— Bueno, bueno. Está bien. ¿ Sabe usted que si tiene suerte se va usted a ganar veinticuatro mil duros . . . ?

— Y si no, me pegarán un tiro.

— Exacto. ¿ Acepta usted ?

— Sí, señor, acepto.

— Bueno. Entonces estamos conformes.

— Pero yo exijo que usted me formalice este contrato por escrito — dijo Martín.

— No tengo inconveniente.

El judío quedó un poco perplejo y, después de vacilar un poco, preguntó:

— ¿ Cómo quiere usted que lo haga ?

— En pagarés de mil duros cada uno.

El judío, después de vacilar, llenó los pagarés y puso los sellos.

— Si cobra usted — advirtió — de cada pueblo me puede usted ir enviando las letras.

— ¿ No las podría depositar en los pueblos en casa del notario ?

— Sí, es mejor. Un consejo. En Estella no vaya usted donde el ministro de la guerra. Preséntese usted al general en jefe y le entrega usted las cartas.

— Eso haré.

— Entonces, adiós, y buena suerte.

Martín fué a casa de un notario de Bayona, le preguntó si los pagarés estaban en regla y, habiéndole dicho que sí, los depositó bajo recibo.

El mismo día se fué a Zaro.

— Guardadme este papel — dijo a Bautista y a su hermana, dándoles el recibo. — Yo me voy.

— ¿ Adónde vas ? — preguntó Bautista.

Martín le explicó sus proyectos.

— Eso es un disparate — dijo Bautista — te van a matar.

— ¡ Ca !

— Cualquiera de la partida del Cura que te vea te denuncia.

— No está ninguno en España. La mayoría andan por Buenos Aires. Algunos los tienes por aquí, por Francia, trabajando.

— No importa, es una barbaridad lo que quieres hacer.

— ¡ Hombre ! Yo no obligo a nadie a que venga conmigo — dijo Martín.

— Es que si tú crees que eres el único capaz de hacer eso, estás equivocado — replicó Bautista —. Yo voy donde otro vaya.

— No digo que no.

— Pero parece que dudas.

— No, hombre, no.

— Sí, sí, y para que veas que no hay tal cosa, te voy a acompañar. No se dirá que un vasco francés no se atreve a ir donde vaya un vasco español.

— Pero hombre, tú estás casado — repuso Martín.

— No importa.

— Bueno, ya veo que lo que tú quieres es acompañarme. Iremos juntos, y, si conseguimos traer las letras firmadas te daré algo.

— ¿ Cuánto ?

— Ya veremos.

— ¡ Qué granuja eres ! — exclamó Bautista — ¿ para qué quieres tanto dinero ?

— ¿ Qué sé yo ? Ya veremos. Yo tengo en la cabeza algo. ¿ Qué ? No lo sé, pero sirvo para alguna cosa. Es una idea que se me ha metido en la cabeza hace poco.

— ¿ Qué demonio de ambición tienes ?

— No sé, chico, no sé — contestó Martín — pero hay gente que se considera como un cacharro viejo, que lo mismo puede servir de taza que de escupidera. Yo no, yo siento en mí, aquí dentro, algo duro y fuerte . . . no sé explicarme.

A Bautista le extrañaba esta ambición obscura de Martín, porque él era claro y ordenado y sabía muy bien lo que quería.

Dejaron esta cuestión y hablaron del recorrido que tenían que hacer.

Éste comenzaría yendo en el vaporcito la *Fleche* a Zumaya y siguiendo de aquí a Azpeitia, de Azpeitia a Tolosa y de Tolosa a Estella.*

CAPÍTULO VI

CÓMO LOS ACONTECIMIENTOS SE ENREDARON, HASTA EL PUNTO DE QUE MARTÍN DURMIÓ EL TERCER DÍA DE ESTELLA EN LA CÁRCEL

PASARON por el portal de Santiago, entraron en la calle Mayor y preguntaron en la posada si había alojamiento.

Una muchacha apareció en la escalera.

— Está la casa llena — dijo —. No hay sitio para tres personas, sólo una podría quedarse.

— ¿ Y las caballerías ? — preguntó Bautista.

— Creo que hay sitio en la cuadra.

Fué la muchacha a verlo y Martín dijo a Bautista:

— Puesto que hay sitio para una persona, tú te puedes quedar aquí. Vale más que estemos separados y que hagamos como si no nos conociéramos.

— Sí, es verdad — contestó Bautista.

— Mañana, a la mañana, en la plaza nos encontraremos.

— Muy bien.

Vino la muchacha y dijo que había sitio en la cuadra para los jacos. Entró Bautista en la casa con las caballerías, y el extranjero y Martín fueron, preguntando, a otra

* Véanse las Notas.

posada del paseo de los Llanos, donde les dieron alojamiento. Llevaron a Martín a un cuarto desmantelado y polvoriento, en cuyo fondo había una alcoba estrecha.

Martín sacó la carta de Levi-Álvarez y el paquete de letras cosido en el cuero de la bota y separó las ya aceptadas y firmadas, de las otras. Como éstas todas eran para Estella, las encerró en un sobre y escribió:

« Al general en jefe del ejército carlista. »

— ¿ Será prudente — se dijo — entregar estas letras sin garantía alguna ?

No pensó mucho tiempo, porque comprendió en seguida que era una locura pedir recibo o fianza.

— La verdad es que, si no quieren firmar, no puedo obligarles, y si me dan un recibo y luego se les ocurre quitármelo, con prenderme están al cabo de la calle. Aquí hay que hacer como si a uno le fuera indiferente la cosa y, si sale bien, aprovecharse de ella, y si no, dejarla.

Esperó a que se secara el sobre. Salió a la calle. Vió en la calle un sargento y, después de saludarle, le preguntó:

— ¿ Dónde se podrá ver al general ?

— ¿ A qué general ?

— Al general en jefe. Traigo unas cartas para él.

— Estará probablemente paseando en la plaza. Venga usted.

Fueron a la plaza. En los arcos, a la luz de unos faroles tristes de petróleo, paseaban algunos jefes carlistas. El sargento se acercó al grupo y, encarándose con uno de ellos, dijo:

— Mi general.

— ¿ Qué hay ?

— Este paisano, que trae unas cartas para el general en jefe.

Martín se acercó y entregó los sobres. El general carlista se arrimó a un farol y los abrió. Era el general un hombre alto, flaco, de unos cincuenta años, de barba negra, con el brazo en cabestrillo. Llevaba una boina grande de gascón con una borla.

— ¿ Quién ha traído esto ? — preguntó el general con voz fuerte.

— Yo — dijo Martín.

— ¿ Sabe usted lo que venía aquí dentro ?

— No, señor.

— ¿ Quién le ha dado a usted estos sobres ?

— El señor Levi–Álvarez de Bayona.

— ¿ Cómo ha venido usted hasta aquí ?

— He ido de San Juan de Luz a Zumaya en barco, de Zumaya aquí a caballo.

— ¿ Y no ha tenido usted ningún contratiempo en el camino ?

— Ninguno.

— Aquí hay algunos papeles que hay que entregar al rey. ¿ Quiere usted entregarlos o que se los entregue yo ?

— No tengo más encargo que dar estos sobres y, si hay contestación, volverla a Bayona.

— ¿ No es usted carlista ? — preguntó el general, sorprendido del tono de indiferencia de Martín.

— Vivo en Francia y soy comerciante.

— Ah, vamos, es usted francés.

Martín calló.

— ¿ Dónde para usted ?—siguió preguntando el general.

— En una posada de ese paseo . . .

— ¿ Del paseo de los Llanos ?

— Creo que sí. Así se llama.

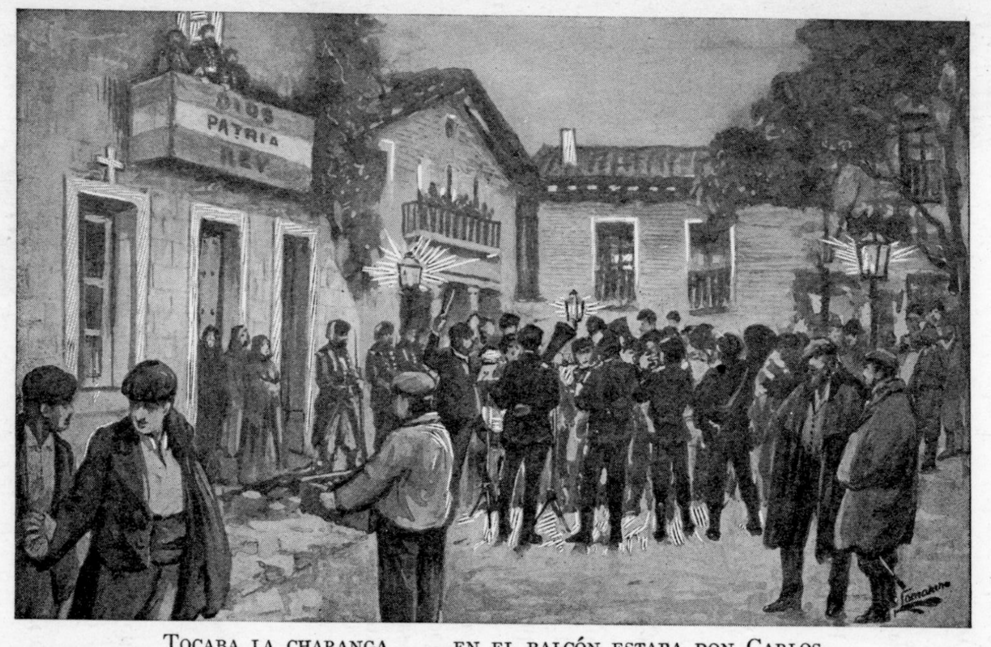

TOCABA LA CHARANGA . . . EN EL BALCÓN ESTABA DON CARLOS

— ¿ Hay una administración de coches en el portal ? ¿ No ?

— Sí, señor.

— Entonces, es la misma. ¿ Piensa usted estar muchos días en Estella ?

— Hasta que me digan si hay contestación o no.

— ¿ Cómo se llama usted ?

— Martín Tellagorri.

— Está bien. Puede usted retirarse.

Saludó Martín y se fué a la posada.

Conformes Martín y Bautista, se encontraron en la plaza. Martín consideró que no convenía que le viesen hablar con su cuñado, y para decir lo hecho por él la noche anterior escribió en un papel su entrevista con el general.

Luego se fué a la plaza. Tocaba la charanga. Había unos soldados formados. En el balcón de una casa pequeña, enfrente de la iglesia de San Juan, estaba don Carlos con algunos de sus oficiales.

Esperó Martín a ver a Bautista y cuando le vió le dijo:

— Que no nos vean juntos — y le entregó el papel.

Bautista se alejó, y poco después se acercó de nuevo a Martín y le dió otro pedazo de papel.

— ¿ Qué pasará ? — se dijo Martín.

Se fué de la plaza, y cuando se vió solo, leyó el papel de Bautista que decía:

« *Ten cuidado. Está aquí el Cacho de sargento. No andes por el centro del pueblo.* »

La advertencia de Bautista la consideró Martín de gran importancia. Sabía que el Cacho le odiaba y que colocado en una posición superior, podía vengar sus antiguos rencores con toda la saña de aquel hombre pequeño, violento y colérico . . .

Al día siguiente, por la noche, iba a acostarse Martín, cuando la posadera le llamó y le entregó una carta, que decía:

« Preséntese usted mañana de madrugada en la ermita del Puy, en donde se le devolverán las letras ya firmadas. El General en Jefe. » Debajo había una firma ilegible.

Martín se metió la carta en el bolsillo, y viendo que la posadera no se marchaba de su cuarto, le preguntó:

— ¿ Quería usted algo ?

— Sí; nos han traído dos militares heridos y quisiéramos el cuarto de usted para uno de ellos. Si usted no tuviera inconveniente, le trasladaríamos abajo.

— Bueno, no tengo inconveniente.

Bajó a un cuarto del piso principal, que era una sala muy grande con dos alcobas. La sala tenía en medio un altar, iluminado con unas lámparas tristes de aceite. Martín se acostó; desde su cama veía las luces oscilantes, pero estas cosas no influían en su imaginación, y quedó dormido.

Era más de media noche, cuando se despertó algo sobresaltado. En la alcoba próxima se oían quejas, alternando con voces de ¡ Ay, Dios mío ! ¡ Ay, Jesús mío !

— ¡ Qué demonio será esto ! — pensó Martín.

Miró el reloj. Eran las tres. Se volvió a tender en la cama, pero con los lamentos no se pudo dormir y le pareció mejor levantarse. Se vistió y se acercó a la alcoba próxima, y miró por entre las cortinas. Se veía vagamente a un hombre tendido en la cama.

— ¿ Qué le pasa a usted ? — preguntó Martín.

— Estoy herido — murmuró el enfermo.

— ¿ Quiere usted alguna cosa ?

— Agua.

A Martín le dió la impresión de conocer esta voz. Buscó por la sala una botella de agua, y como no había en el cuarto, fué a la cocina. Al ruido de sus pasos, la voz de la patrona preguntó:

— ¿ Qué pasa ?

— El herido que quiere agua.

— Voy.

La patrona apareció en enaguas, y dijo, entregando a Martín una lamparilla:

— Alumbre usted.

Tomaron el agua y volvieron a la sala. Al entrar en la alcoba, Martín levantó el brazo, con lo que iluminó el rostro del enfermo y el suyo. El herido tomó el vaso en la mano, e incorporándose y mirando a Martín comenzó a gritar:

— ¿ Eres tú ? ¡ Canalla ! ¡ Ladrón ! ¡ Prendedle ! ¡ Prendedle !

El herido era Carlos Ohando.

Martín dejó la lamparilla sobre la mesa de noche.

— Márchese usted — dijo la patrona —. Está delirando.

Martín sabía que no deliraba; se retiró a la sala y escuchó, por si Carlos contaba alguna cosa a la patrona. Martín esperó en su alcoba. En la sala, debajo del altar, estaba el equipaje de Ohando, consistente en un baúl y una maleta. Martín pensó que quizá Carlos guardara alguna carta de Catalina, y se dijo:

— Si esta noche encuentro una buena ocasión descerrajaré el baúl.

No la encontró. Iban a dar las cuatro de la mañana, cuando Martín, envuelto en su capote, se marchó hacia la ermita del Puy. Los carlistas estaban de maniobras. Llegó al campamento de don Carlos, y, mostrando su carta, le dejaron pasar.

— El Señor está con dos reverendos padres — le advirtió un oficial.

— Vaya al diablo el Señor — refunfuñó Zalacaín —. La verdad es que este rey es un rey ridículo.

Esperó Martín a que despachara el Señor con los reverendos, hasta que el rozagante Borbón, con su aire de hombre bien cebado, salió de la ermita, rodeado de su Estado Mayor. Junto al Pretendiente iba una mujer a caballo, que Martín supuso sería doña Blanca.

— Ahí está el Rey. Tiene usted que arrodillarse y besarle la mano — dijo el oficial.

Zalacaín no replicó.

— Y darle el título de Majestad.

Zalacaín no hizo caso.

Don Carlos no se fijó en Martín y éste se acercó al general, quien le entregó las letras firmadas. Zalacaín las examinó. Estaban bien.

En aquel momento, un fraile castrense, con unos gestos de energúmeno, comenzó a arengar a las tropas.

Martín, sin que lo notara nadie, se fué alejando de allí y bajó al pueblo corriendo. El llevar en su bolsillo su fortuna, le hacía ser más asustadizo que una liebre.

A la hora en que los soldados formaban en la plaza, se presentó Martín y, al ver a Bautista, le dijo:

— Vete a la iglesia y allí hablaremos.

Entraron los dos en la iglesia, y en una capilla obscura se sentaron en un banco.

— Toma las letras — le dijo Martín a Bautista —. ¡ Guárdalas !

— ¿ Te las han dado ya firmadas ?

— Sí.

— Hay que prepararse a salir de Estella en seguida.

— No sé si podremos — dijo Bautista.

— Aquí estamos en peligro. Además del Cacho, se encuentra en Estella Carlos Ohando.

— ¿ Cómo lo sabes ?

— Porque le he visto.

— ¿ En dónde ?

— Está en mi casa herido.

— ¿ Y te ha visto él ?

— Sí.

— Claro, están los dos — exclamó Bautista.

— ¿ Cómo los dos ? ¿ Qué quieres decir con eso ?

— ¿ Yo ? Nada.

— ¿ Tú sabes algo ?

— No, hombre, no.

— O me lo dices, o se lo pregunto al mismo Carlos Ohando. ¿ Es que está aquí Catalina ?

— Sí, está aquí.

— ¿ De veras ?

— Sí.

— ¿ En dónde ?

— En el convento de Recoletas.

— ¡ Encerrada ! ¿ Y cómo lo sabes tú ?

— Porque la he visto.

— ¡ Qué suerte ! ¿ La has visto ?

— Sí. La he visto y la he hablado.

— ¡ Y eso querías ocultarme ! Tú no eres amigo mío, Bautista.

Bautista protestó.

— ¿ Y ella sabe que estoy aquí ?

— Sí, lo sabe.

— ¿ Cómo se puede verla ? — dijo Zalacaín.

— Suele bordar en el convento, cerca de la ventana, y por la tarde sale a pasear a la huerta.

— Bueno. Me voy. Mira a ver si puedes alquilar un coche para marcharnos de aquí.

— Lo veré.

— Lo más pronto que puedas.

— Bueno.

— Adiós.

— Adiós y prudencia.

Martín salió de la iglesia, tomó por la calle Mayor hacia el convento de las Recoletas, paseó arriba y abajo, horas y horas sin llegar a ver a Catalina. Al anochecer tuvo la suerte de verla asomada a una ventana. Martín levantó la mano, y su novia, haciendo como que no le conocía, se retiró de la ventana. Martín quedó helado; luego Catalina volvió a aparecer y lanzó un ovillo de hilo casi a los pies de Martín. Zalacaín lo recogió; tenía dentro un papel que decía: « A las ocho podemos hablar un momento. Espera cerca de la puerta de la tapia.» Martín volvió a la posada, comió con un apetito extraordinario y a las ocho en punto estaba en la puerta de la tapia esperando. Daban las ocho en el reloj de las iglesias de Estella, cuando Martín oyó dos golpecitos en la puerta. Martín contestó del mismo modo.

— ¿ Eres tú, Martín ? — preguntó Catalina en voz baja.

— Sí, soy yo. ¿ No nos podemos ver ?

— Imposible.

— Yo me voy a marchar de Estella. ¿ Querrás venir conmigo ? — preguntó Martín.

— Sí; pero ¡ cómo salir de aquí !

— ¿ Estás dispuesta a hacer todo lo que yo te diga ?

5 — Sí.

— ¿ A seguirme a todas partes ?

— A todas partes.

— ¿ De veras ?

— Aunque sea a morir. Ahora, vete. ¡ Por Dios ! No
10 nos sorprendan.

Martín se había olvidado de todos sus peligros; marchó a su casa y sin pensar en espionajes entró en la posada a ver a Bautista y le abrazó con entusiasmo.

— Pasado mañana — dijo Bautista — tenemos el coche.

15 — ¿ Lo has arreglado todo ?

— Sí.

Martín salió de casa de su cuñado silbando alegremente. Al llegar cerca de su posada, dos serenos que parecían estar espiándole se le acercaron y le mandaron callar de mala
20 manera.

— ¡ Hombre ! ¿ No se puede silbar ? — preguntó Martín.

— No, señor.

— Bueno. No silbaré.

25 — Y si replica usted, va usted a la cárcel.

— No replico.

— ¡ Hala ! ¡ Hala ! A la cárcel.

Zalacaín vió que buscaban un pretexto para encerrarle y aguantó los empellones que le dieron, y en medio de los
30 dos serenos entró en la cárcel.

CAPÍTULO VII

EN QUE LOS ACONTECIMIENTOS MARCHAN AL GALOPE

ENTREGARON los serenos a Martín en manos del alcaide, y éste le llevó hasta un cuarto obscuro con un banco y una cantarilla para el agua.

— Demonio — exclamó Martín —, aquí hace mucho frío. ¿ No hay sitio dónde dormir ?

— Ahí tiene usted el banco.

— ¿ No me podrían traer un jergón y una manta para tenderme ?

— Si paga usted . . .

— Pagaré lo que sea. Que me traigan un jergón y dos mantas.

El alcaide se fué, dejando a obscuras a Martín, y vino poco después con un jergón y las mantas pedidas. Le dió Martín un duro, y el carcelero, amansado, le preguntó:

— ¿ Qué ha hecho usted para que le traigan aquí ?

— Nada. Venía distraído silbando por la calle. Y me ha dicho el sereno: « No se silba.» Me he callado, y sin más ni más, me han traído a la cárcel.

— ¿ Usted no se ha resistido ?

— No.

— Entonces será por otra cosa por lo que le han encerrado.

Martín dijo que así se lo figuraba también él. Le dió las buenas noches el carcelero; contestó Zalacaín amablemente, y se tendió en el suelo.

— Aquí estoy tan seguro como en la posada — se

dijo —. Allí me tienen en sus manos, y aquí también, luego estoy igual. Durmamos. Veremos lo que se hace mañana.

A pesar de que su imaginación se le insubordinaba, pudo conciliar el sueño y descansar profundamente.

Cuando despertó, vió que entraba un rayo de sol por una alta ventana iluminando el destartalado zaquizamí. Llamó a la puerta, vino el carcelero, y le preguntó:

— ¿ No le han dicho a usted por qué estoy preso ?

— No.

— ¿ De manera que me van a tener encerrado sin motivo ?

— Quizá sea una equivocación.

— Pues es un consuelo.

— ¡ Cosas de la vida ! Aquí no le puede pasar a usted nada.

— ¡ Si le parece a usted poco estar en la cárcel !

— Eso no deshonra a nadie.

Martín se hizo el asustadizo y el tímido, y preguntó:

— ¿ Me traerá usted de comer ?

— Sí. ¿ Hay hambre, eh ?

— Ya lo creo.

— ¿ No querrá usted rancho ?

— No.

— Pues ahora le traerán la comida. — Y el carcelero se fué, cantando alegremente.

Comió Martín lo que le trajeron, se tendió envuelto en la manta, y después de un momento de siesta, se levantó a tomar una resolución.

— ¿ Qué podría hacer yo ? — se dijo —. Sobornar al alcaide exigiría mucho dinero. Llamar a Bautista es comprometerle. Esperar aquí a que me suelten es exponerme a cárcel perpetua, por lo menos a estar preso hasta que la guerra termine . . . Hay que escaparse, no hay más remedio.

Con esta firme decisión, comenzó a pensar un plan de fuga. Salir por la puerta era difícil. La puerta, además de ser fuerte, se cerraba por fuera con llave y cerrojo. Después, aun en el caso de aprovechar una ocasión y poder salir de allá, quedaba por recorrer un pasillo largo y luego unas escaleras . . . Imposible. Había que escapar por la ventana. Era el único recurso.

— ¿ A dónde dará esto ? — se dijo.

Arrimó el banco a la pared, se subió a él, se agarró a los barrotes y a pulso se levantó hasta poder mirar por la reja. Daba el ventanillo a la plaza de la fuente.

Saltó al suelo y se sentó en el banco. La reja era alta, pequeña, con tres barrotes sin travesaño.

— Arrancando uno, quizá pudiera pasar — se dijo Martín —. Y esto no sería difícil . . . luego necesitaría una cuerda. ¿ De dónde sacaría yo una cuerda ? . . . La manta . . . la manta cortada en tiras me podía servir . . .

No tenía más instrumento que un cortaplumas pequeño.

— Hay que ver la solidez de la reja — murmuró.

Volvió a subir. Se hallaba la reja empotrada en la pared, pero no tenía gran resistencia. Los barrotes estaban sujetos por un marco de madera, y el marco en un extremo se hallaba apolillado. Martín supuso que no sería difícil romper la madera y quitar el barrote de un lado.

Cortó una tira de la manta y pasándola por el barrote de en medio y atándole después por los extremos formó una abrazadera y metió dos patas del banco en este anillo y las otras dos las sujetó en el suelo. Contaba así con una especie de plano inclinado para llegar a la reja.

Subió por él deslizándose, se agarró con la mano izquierda a un barrote y con la derecha armada del cortaplumas, comenzó a roer la madera del marco. La postura no era cómoda, ni mucho menos, pero la constancia de Zalacaín no cejaba, y tras de una hora de rudo trabajo, logró arrancar el barrote de su alvéolo.

Cuando lo tuvo ya suelto, lo volvió a poner como antes, quitó el banco de su posición oblicua, ocultó las astillas arrancadas del marco de la ventana en el jergón, y esperó la noche.

El carcelero le llevó la cena, y Martin le preguntó con empeño si no habían dispuesto nada respecto a él, si pensaban tenerlo encerrado sin motivo alguno. El carcelero se encogió de hombros y se retiró en seguida tarareando. Inmediatamente que Zalacaín se vió solo, puso manos a la obra.

Tenía la absoluta seguridad de poderse escapar. Sacó el cortaplumas y comenzó a cortar las dos mantas de arriba abajo. Hecho esto, fué atando las tiras una a otra hasta formar una cuerda de quince brazas. Era lo que necesitaba.

Después pensó dejar un recuerdo alegre y divertido en la cárcel. Cogió la cantarilla del agua y le puso su boina y la dejó envuelta en el trozo que quedaba de manta.

— Cuando se asome el carcelero podrá creer que sigo aquí durmiendo. Si gano con esto un par de horas, me pueden servir admirablemente para escaparme.

Contempló el bulto con una sonrisa, luego subió a la reja, ató un cabo de la cuerda a los dos barrotes y el otro extremo lo echó fuera poco a poco. Cuando toda la cuerda quedó a lo largo de la pared, pasó el cuerpo con mil trabajos por la abertura que dejaba el barrote arrancado, y comenzó a descolgarse resbalándose por el muro.

Cruzó por delante de una ventana iluminada. Vió a alguien que se movía a través de un cristal. Estaba a cuatro o cinco metros de la calle, cuando oyó ruido de pasos. Se detuvo en su descenso y ya comenzaban a dejar de oírse los pasos cuando cayó a tierra, metiendo algún estrépito.

Uno de los nudos debía de haberse soltado porque le quedaba un trozo de cuerda entre los dedos. Se levantó.

— No hay avería. No me he hecho nada — se dijo —. Al pasar por cerca de la fuente de la plaza tiró el resto de la cuerda al agua. Luego, de prisa, se dirigió por la calle de la Rúa.

Iba marchando volviéndose para mirar atrás, cuando vió a la luz de un farol que oscilaba colgando de una cuerda dos hombres armados con fusiles, cuyas bayonetas brillaban de un modo siniestro. Estos hombres sin duda le seguían. Si se alejaba iba a dar a la guardia de extramuros. No sabiendo qué hacer y viendo un portal abierto, entró en él, y empujando suavemente la puerta, la cerró. Oyó el ruido de los pasos de los hombres en la acera. Esperó a que dejaran de oírse, y cuando estaba dispuesto a salir, bajó una mujer vieja al zaguán y echó la llave y el cerrojo de la puerta.

Martín se quedó encerrado. Volvieron a oírse los pasos de los que le perseguían.

— No se van — pensó.

Efectivamente, no sólo no se fueron, sino que llamaron en la casa con dos aldabonazos.

Apareció de nuevo la vieja con un farol y se puso al habla con los de fuera sin abrir.

— ¿ Ha entrado aquí algún hombre ? — preguntó uno de los perseguidores.

— No.

— ¿ Quiere usted verlo bien ? Somos de la ronda.

— Aquí no hay nadie.

— Registre usted el portal.

Martín, al oír esto, agazapándose, salió del portal y ganó la escalera. La vieja paseó la luz del farol por todo el zaguán y dijo:

— No hay nadie, no, no hay nadie.

Martín pretendió volver al zaguán, pero la vieja puso el farol de tal modo que iluminaba el comienzo de la escalera. Martín no tuvo más remedio que retirarse hacia arriba y subir los escalones de dos en dos.

— Pasaremos aquí la noche — se dijo.

No había salida alguna. Lo mejor era esperar a que llegase el día y abriesen la puerta. No quería exponerse a que lo encontraran dentro estando la casa cerrada, y aguardó hasta muy entrada la mañana.

Serían cerca de las nueve cuando comenzó a bajar las escaleras cautelosamente. Al pasar por el primer piso vió en un cuarto muy lujoso, y extendido sobre un sofá, un uniforme de oficial carlista, con su boina y su espada. Tenía tal convencimiento Martín de que sólo a fuerza de audacia se salvaría, que se desnudó con rapidez, se puso el uniforme y la boina, luego se ciñó la espada, se echó el capote por encima y comenzó a bajar las escaleras, taconeando. Se encontró con la vieja de la noche anterior, y al verla la dijo:

— ¿ Pero no hay nadie en esta casa ?

— ¿ Qué quería usted ? No le había visto.

— ¿ Vive aquí el comandante don Carlos Ohando ?

— No, señor, aquí no vive.

— ¡ Muchas gracias !

Martín salió a la calle, y embozado y con aire conquistador se dirigió a la posada en donde vivía Bautista.

— ¡ Tú ! — exclamó Urbide —. ¿ De dónde sales con ese uniforme ? ¿ Qué has hecho en todo el día de ayer ? Estaba intranquilo. ¿ Qué pasa ?

— Todo lo contaré. ¿ Tienes el coche ?

— Sí, pero . . .

— Nada, tráetelo en seguida, lo más pronto que puedas. Pero a escape.

Martín se sentó a la mesa y escribió con lápiz en un papel: « Querida hermana. Necesito verte. Estoy herido, gravísimo. Ven inmediatamente en el coche con mi amigo Zalacaín. Tu hermano, Carlos.»

Después de escribir el papel, Martín se paseó con impaciencia por el cuarto. Cada minuto le parecía un siglo. Dos horas larguísimas tuvo que estar esperando con angustias de muerte. Al fin, cerca de las doce, oyó un ruido de campanillas.

Se asomó al balcón. A la puerta aguardaba un coche tirado por cuatro caballos. Entre éstos distinguió Martín los dos jacos en cuyos lomos fueron desde Zumaya hasta Estella. El coche, un landó viejo y destartalado, tenía un cristal y uno de los faroles atado con una cuerda.

Bajó las escaleras Martín embozado en la capa, abrió la portezuela del coche, y dijo a Bautista:

— Al convento de Recoletas.

Bautista, sin replicar, se dirigió hacia el sitio indicado. Cuando el coche se detuvo frente al convento, Bautista, al salir Zalacaín, le dijo:

— ¿ Qué disparate vas a hacer ? Reflexiona.

— ¿ Tú sabes cuál es el camino de Logroño ? — preguntó Martín.

— Sí.

— Pues toma por allá.

5 — Pero . . .

— Nada, nada, toma por allá. Al principio marcha despacio, para no cansar a los caballos, porque luego habrá que correr.

Hecha esta recomendación, Martín, muy erguido, se 10 dirigió al convento.

— Aquí va a pasar algo gordo — se dijo Bautista preparándose para la catástrofe.

Llamó Martín, entró en el portal, preguntó a la hermana tornera por la señorita de Ohando y le dijo que 15 necesitaba darle una carta. Le hicieron pasar al locutorio y se encontró allí con Catalina y una monja, que era la superiora. Las saludó profundamente y preguntó:

— ¿ La señorita de Ohando ?

— Soy yo.

20 — Traigo una carta para usted de su hermano.

Catalina palideció y le temblaron las manos de la emoción. La superiora, una mujer de color de marfil, con los ojos grandes y obscuros como dos manchas negras que le cogían la mitad de la cara, y varios lunares en la bar-25 billa, preguntó:

— ¿ Qué pasa ? ¿ Qué dice ese papel ?

— Dice que mi hermano está grave . . . que vaya — balbuceó Catalina.

— ¿ Está tan grave ? — preguntó la superiora a 30 Martín.

— Sí, creo que sí.

— ¿ En dónde se encuentra ?

Traigo una carta para usted

— En una casa de la carretera de Logroño — dijo Martín.

— ¿ Hacia Azqueta quizá ?

— Sí, cerca de Azqueta. Le han herido en un reconocimiento.

— Bueno. Vamos — dijo la superiora —. Que venga también el señor Benito el demandadero.

Martín no se opuso y esperó a que se preparasen para acompañarlas. Al salir los cuatro a tomar el coche y al verles Bautista desde lo alto del pescante, no pudo menos de hacer una mueca de asombro. El demandadero montó junto a él.

— Vamos — dijo Martín a Bautista.

El coche partió; la misma superiora bajó las cortinas y sacando un rosario comenzó a rezar. Recorrió el coche la calle Mayor, atravesó el puente del Azucarero, la calle de San Nicolás, y tomó por la carretera de Logroño.

Al salir del pueblo, una patrulla carlista se acercó al coche. Alguien abrió la portezuela y la volvió a cerrar en seguida.

— Va la madre superiora de las Recoletas a visitar a un enfermo — dijo el demandadero con voz gangosa.

El coche siguió adelante al trote lento de los caballos. Lloviznaba, la noche estaba negra, no brillaba ni una estrella en el cielo. Se pasó una aldea, luego otra.

— ¡ Qué lentitud ! — exclamó la monja.

— Es que los caballos son muy malos — contestó Martín.

Pasaron de prisa otra aldea, y cuando no tenían delante ni atrás pueblos ni casas próximos, Bautista aminoró la marcha. Comenzaba a anochecer.

— ¿ Pero qué pasa ? — dijo de pronto la superiora —. ¿ No llegamos todavía ?

— Pasa, señora — contestó Zalacaín — que tenemos que seguir adelante.

— ¿ Y por qué ?

— Hay esa orden.

— ¿ Y quién ha dado esa orden ?

— Es un secreto.

— Pues hagan el favor de parar el coche, porque voy a bajar.

— Si quiere usted bajar sola, puede usted hacerlo.

— No, iré con Catalina.

— Imposible.

La superiora lanzó una mirada furiosa a Catalina, y al ver que bajaba los ojos, exclamó:

— ¡ Ah ! Estaban entendidos.

— Sí, estamos entendidos — contestó Martín —. Esta señorita es mi novia y no quiere estar en el convento, sino casarse conmigo.

— No es verdad, yo lo impediré.

— Usted no lo impedirá porque no podrá impedirlo.

La superiora se calló. Siguió el coche en su marcha pesada y monótona por la carretera. Era ya media noche cuando llegaron a la vista de Los Arcos.

Doscientos metros antes detuvo Bautista los caballos y saltó del pescante.

— Tú — le dijo a Zalacaín en vascuence — tenemos un caballo aspeado, si pudieras cambiarlo aquí . . .

— Intentaremos.

— Y si se pudieran cambiar los dos, sería mejor.

— Voy a ver. Cuidado con el demandadero y con la monja, que no salgan.

Desenganchó Martín los caballos y fué con ellos a la venta.

Le salió al paso una muchacha redondita, muy bonita y de muy mal humor. Le dijo Martín lo que necesitaba, y ella replicó que era imposible, que el amo estaba acostado.

— Pues hay que despertarle.

Llamaron al posadero y éste presentó una porción de obstáculos, adujo toda clase de pretextos, pero al ver el uniforme de Martín se avino a obedecer y mandó despertar al mozo. El mozo no estaba.

— Ya ve usted, no está el mozo.

— Ayúdeme usted, no tenga usted mal genio — le dijo Martín a la muchacha tomándole la mano y dándole un duro —. Me juego la vida en esto.

La muchacha guardó el duro en el delantal, y ella misma sacó dos caballos de la cuadra y fué con ellos cantando alegremente:

La Virgen del Puy de Estella
le dijo a la del Pilar:
Si tú eres aragonesa
yo soy navarra y con sal.

Martín pagó al posadero y quedó con él de acuerdo en el sitio en donde tenía que dejar los caballos en Logroño.

Entre Bautista, Martín y la moza, reemplazaron el tiro por completo. Martín acompañó a la muchacha, y cuando la vió sola la estrechó por la cintura y la besó en la mejilla.

— ¡ También usted es posma ! — exclamó ella con desgarro.

— Es que usted es navarra y con sal y yo quiero probar de esa sal — replicó Martín.

— Pues tenga usted cuidado no le haga daño.

— ¿ Quién lleva usted en el coche ?

— Unas viejas.

— ¿ Volverá usted por aquí ?

— En cuanto pueda.

— Pues, adiós. 5

— Adiós, hermosa. Oiga usted. Si le preguntan por donde hemos ido diga usted que nos hemos quedado aquí.

— Bueno, así lo haré.

El coche pasó por delante de Los Arcos. Al llegar cerca de Sansol, cuatro hombres se plantaron en el camino. 10

— ¡ Alto ! — gritó uno de ellos que llevaba un farol.

Martín saltó del coche y desenvainó la espada.

— ¿ Quién es ? — preguntó.

— Voluntarios realistas — dijeron ellos.

— ¿ Qué quieren ? 15

— Ver si tienen ustedes pasaporte.

Martín sacó su salvoconducto y lo enseñó. Un viejo, de aire respetable, tomó el papel y se puso a leerlo.

— ¿ No vé usted que soy oficial ? — preguntó Martín.

— No importa — replicó el viejo —. ¿ Quién va 20 adentro ?

— Dos madres recoletas que marchan a Logroño.

— ¿ No saben ustedes que en Viana están los liberales ? — preguntó el viejo.

— No importa, pasaremos. 25

— Vamos a ver a esas señoras — murmuró el vejete.

— ¡ Eh, Bautista ! Ten cuidado — dijo Martín en vasco.

Descendió Urbide del pescante y tras él saltó el demandadero. El viejo jefe de la patrulla abrió la porte- 30 zuela del coche y echó la luz del farol al rostro de las viajeras.

— ¿ Quiénes son ustedes ? — preguntó la superiora con presteza.

— Somos voluntarios de Carlos VII.

— Entonces que nos detengan. Estos hombres nos
5 llevan secuestradas.

No acababa de decir esto cuando Martín dió una patada al farol que llevaba el viejo, y después de un empujón echó al anciano respetable a la cuneta de la carretera. Bautista arrancó el fusil a otro de la ronda, y el demanda-
10 dero se vió acometido por dos hombres a la vez.

— ¡ Pero si yo no soy de éstos ! Yo soy carlista — gritó el demandadero.

Los hombres, convencidos, se echaron sobre Zalacaín, éste cerró contra los dos; uno de los voluntarios le dió un
15 bayonetazo en el hombro izquierdo, y Martín, furioso por el dolor, le tiró una estocada que le atravesó de parte a parte.

La patrulla se había declarado en fuga, dejando un fusil en el suelo.

20 — ¿ Estás herido ? — preguntó Bautista a su cuñado.

— Sí, pero creo que no es nada. Hala, vámonos.

— ¿ Llevamos este fusil ?

— Sí, quítale la cartuchera a ese que yo he tumbado, y vamos andando.

25 Bautista entregó un fusil y una pistola a Martín.

— Vamos, ¡ adentro ! — dijo Martín al demandadero.

Éste se metió temblando en el coche, que partió, llevado al galope por los caballos. Pasaron por en medio de un pueblo. Algunas ventanas se abrieron y salieron los
30 vecinos, creyendo sin duda que pasaba un furgón de artillería. A la media hora Bautista se paró. Se había roto una correa y tuvieron que arreglarla, haciéndole un

agujero con el cortaplumas. Estaba cayendo un chaparrón que convertía la carretera en un barrizal.

— Habrá que ir más despacio — dijo Martín.

Efectivamente, comenzaron a marchar más despacio, pero al cabo de un cuarto de hora se oyó a lo lejos como un galope de caballos. Martín se asomó a la ventana; indudablemente los perseguían.

El ruido de las herraduras se iba acercando por momentos.

— ¡ Alto ! ¡ Alto ! — se oyó gritar.

Bautista azotó los caballos y el coche tomó una carrera vertiginosa. Al llegar a las curvas, el viejo landó se torcía y rechinaba como si fuera a hacerse pedazos. La superiora y Catalina rezaban; el demandadero gemía en el fondo del coche.

— ¡ Alto ! ¡ Alto ! — gritaron de nuevo.

— ¡ Adelante, Bautista ! ¡ Adelante ! — dijo Martín, sacando la cabeza por la ventanilla.

En aquel momento sonó un tiro, y una bala pasó silbando a poca distancia. Martín cargó la pistola, vió un caballo y un ginete que se acercaban al coche, hizo fuego y el caballo cayó pesadamente al suelo. Los perseguidores dispararon sobre el coche que fué atravesado por las balas. Entonces Martín cargó el fusil y, sacando el cuerpo por la ventanilla, comenzó a hacer disparos atendiendo al ruido de las pisadas de los caballos; los que les seguían disparaban también, pero la noche estaba negra y ni Martín ni los perseguidores afinaban la puntería. Bautista, agazapado en el pescante, llevaba los caballos al galope; ninguno de los animales estaba herido, la cosa iba bien.

Al amanecer cesó la persecución. Ya no se veía a nadie en la carretera.

— Creo que podemos parar — gritó Bautista —. ¿ Eh ? Llevamos otra vez el tiro roto. ¿ Paramos ?

— Sí, para — dijo Martín —; no se ve a nadie.

Paró Bautista, y tuvieron que componer de nuevo otra 5 correa. El demandadero rezaba y gemía en el coche; Zalacaín le hizo salir de dentro a empujones.

— Anda, al pescante — le dijo —. ¿ Es que tú no tienes sangre en las venas, sacristán de los demonios ? — le preguntó.

10 Al subir Bautista al pescante, le dijo Martín:

— ¿ Quieres que guíe yo ahora ?

— No, no. Yo voy bien. Y tú, ¿ cómo tienes la herida ?

— No debe de ser nada.

— ¿ Vamos a verla ?

15 — Luego, luego; no hay que perder tiempo.

Martín abrió la portezuela, y, al sentarse, dirigiéndose a la superiora, dijo:

— Respecto a usted, señora, si vuelve usted a chillar, la voy a dejar en la carretera.

20 Catalina, asustadísima, lloraba. Bautista subió al pescante y el demandadero con él. Comenzó el carruaje a marchar despacio, pero, al poco tiempo, volvieron a oírse como pisadas de caballos. Ya no quedaban municiones; los caballos del coche estaban cansados.

25 — Vamos, Bautista, un esfuerzo — gritó Martín, sacando la cabeza por la ventanilla —. ¡ Así ! Echando chispas.

Bautista, excitado, gritaba y chasqueaba el látigo. El coche pasaba con la rapidez de una exhalación, y pronto 30 dejó de oírse detrás el ruido de pisadas de caballos. Ya estaba clareando; nubarrones de plomo corrían a impulsos del viento, y en el fondo del cielo rojizo y triste

El coche pasaba con la rapidez de una exhalación

del alba se adivinaba un pueblo en un alto. Debía de ser Viana.

Al acercarse a él, el coche tropezó con una piedra, se solto una de las ruedas, la caja se inclinó y vino a tierra. Todos los viajeros cayeron revueltos en el barro. Martín se levantó primero y tomó en brazos a Catalina.

— ¿ Tienes algo ? — la dijo.

— No, creo que no — contestó ella, gimiendo.

La superiora se había hecho un chichón en la frente y el demandadero dislocado una muñeca.

— No hay averías importantes — dijo Martín —. ¡ Adelante !

Los viajeros entonaban un coro de quejas y de lamentos.

— Desengancharemos y montaremos a caballo — dijo Bautista.

— Yo no. Yo no me muevo de aquí — replicó la superiora.

La llegada del coche y su batacazo no habían pasado inadvertidos, porque, pocos momentos después, avanzó del lado de Viana media compañía de soldados.

— Son los *guiris* — dijo Bautista a Martín.

— Me alegro.

La media compañía se acercó al grupo.

— ¡ Alto ! — gritó el sargento —. ¿ Quién vive ?

— España.

— Daos prisioneros.

— No nos resistimos.

El sargento y su tropa quedaron asombrados, al ver a un militar carlista, a dos monjas y a sus acompañantes llenos de barro.

— Vamos hacia el pueblo — les ordenaron.

Todos juntos, escoltados por los soldados, llegaron a Viana.

Un teniente que apareció en la carretera, preguntó:

— ¿ Qué hay, sargento ?

— Traemos prisioneros a un general carlista y a dos monjas.

Martín se preguntó por qué le llamaba el sargento general carlista; pero, al ver que el teniente le saludaba, comprendió que el uniforme, cogido por él en Estella, era de un general.

CAPÍTULO VIII

CÓMO LLEGARON A LOGROÑO Y LO QUE LES OCURRIÓ

HICIERON entrar a todos en el cuerpo de guardia, en donde, tendidos en camastros, dormían unos cuantos soldados, y otros se calentaban al calor de un gran brasero. Martín fué tratado con mucha consideración por su uniforme. Rogó al oficial la dejara estar a Catalina a su lado.

— ¿ Es la señora de usted ?

— Sí, es mi mujer.

El oficial accedió y pasó a los dos a un cuarto destartalado que servía para los oficiales.

La superiora, Bautista y el demandadero, no merecieron las mismas atenciones y quedaron en el cuartelillo.

Un sargento viejo, andaluz, se amarteló con la superiora y comenzó a echarla piropos de los clásicos; la dijo que tenía *loz ojoz* como *doz luceroz* y que se parecía a la Virgen de *Conzolación* de Utrera, y le contó otra porción de cosas del repertorio de los almanaques.

A Bautista le dieron tal risa los piropos del andaluz, que comenzó a reírse con una risa contenida.

— A ver *zi* te *callaz;* cochino carca — le dijo el sargento.

— Si yo no digo nada — replicó Bautista.

— *Zi* te *ziguez* riendo *azí*, te voy a *clavá* como a un *zapo*.

Bautista tuvo que ir a un rincón a reírse, y la superiora y el sargento siguieron su conversación.

Al mediodía llegó un coronel, que al ver a Martín le saludó militarmente. Martín le contó sus aventuras, pero el coronel al oírlas frunció las cejas.

— A estos militares — pensó Martín — no les gusta que un paisano haga cosas más difíciles que las suyas.

— Irán ustedes a Logroño y allí veremos si identifican su personalidad. ¿ Qué tiene usted ? ¿ Está usted herido ?

— Sí.

— Ahora vendrá el físico a reconocerle.

Efectivamente, llegó un doctor que reconoció a Martín, le vendó, y redujo la dislocación del demandadero, que gritó y chilló como un condenado. Después de comer trajeron los caballos del coche, les obligaron a montar en ellos, y custodiados por toda la compañía tomaron el camino de Logroño . . .

En Logroño pararon en el cuartel y un oficial hizo subir a Martín a ver al general. Le contó Zalacaín sus aventuras, y el general le dijo:

— Si yo tuviera la seguridad de que lo que me dice usted es cierto, inmediatamente dejaría libre a usted y a sus compañeros.

— ¿ Y yo cómo voy a probar la verdad de mis palabras ?

— ¡ Si pudiera usted identificar su persona ! ¿ No conoce usted aquí a nadie ? ¿ Algún comerciante ?

— No.

— Es lástima. 5

— Sí, sí, conozco a una persona — dijo de pronto Martín —, conozco a la señora de Briones y a su hija.

— ¿ Y al capitán Briones, también lo conocerá usted ?

— También.

— Pues lo voy a llamar; dentro de un momento estará 10 aquí.

El general mandó un ayudante suyo, y media hora después estaba el capitán Briones, que reconoció a Martín. El general los dejó a todos libres.

Martín, Catalina y Bautista iban a marcharse juntos, 15 a pesar de la oposición de la superiora, cuando el capitán Briones dijo:

— Amigo Zalacaín, mi madre y mi hermana exigen que vaya usted a comer con ellas.

Martín explicó a su novia como no le era posible desa- 20 tender la invitación, y dejando a Bautista y a Catalina fué en compañía del oficial.

La casa de la señora de Briones estaba en una calle céntrica, con soportales. Rosita y su madre recibieron a Martín con grandes muestras de amistad. La aventura 25 de su llegada a Logroño con una señorita y una monja había corrido por todas partes.

Madre e hija le preguntaron un sin fin de cosas, y Martín tuvo que contar sus aventuras.

— ¡ Pero qué muchacho ! — decía doña Pepita, ha- 30 ciéndose cruces —. Usted es un verdadero diablo.

Después de comer vinieron unas señoritas amigas de

Rosa Briones, y Martín tuvo que contar de nuevo sus aventuras. Luego se habló de sobremesa y se cantó. Martín pensaba: ¿Qué hará Catalina? Pero luego se olvidaba con la conversación.

Cuando salió de casa de la señora de Briones, eran cerca de las once de la noche. Al encontrarse en la calle comprendió su falta brutal de atención. Fué a buscar a su novia, preguntando en los hoteles. La mayoría estaban cerrados. En uno del Espolón le dijeron: «Aquí ha venido una señorita, pero está descansando en su cuarto.»

— ¿No podría usted avisarla?

— No.

Bautista tampoco parecía.

Sin saber qué hacer, volvió Martín a los soportales y se puso a pasear por ellos. Si no fuera por Catalina — pensó — era capaz de quedarme aquí y ver si Rosita Briones está de veras por mí, como parece...

CAPÍTULO IX

CÓMO ZALACAÍN Y BAUTISTA URBIDE TOMARON LOS DOS SOLOS LA CIUDAD DE LAGUARDIA, OCUPADA POR LOS CARLISTAS

UNA SEMANA después *, al pasar por los soportales de la calle principal de Logroño se encontró con Bautista que venía hacia él indiferente y tranquilo como de costumbre.

— ¿Pero dónde estás? — exclamó Martín incomodado.

— Eso te pregunto yo, ¿dónde estás? — contestó Bautista.

* Véanse las Notas.

— ¿ Y Catalina ?

— ¡ Qué sé yo ! Yo creí que tú sabrías dónde estaba, que os habíais marchado los dos sin decirme nada.

— ¿ De manera que no sabes ? . . .

— Yo no. 5

— ¿ Cuándo hablaste tú con ella por última vez ?

— El mismo día de llegar aquí; hace ocho días. Cuando tú te fuiste a comer a casa de la señora de Briones, Catalina, la monja y yo nos fuimos a la fonda. Pasó el tiempo, pasó el tiempo y tú no venías. — ¿ Pero dónde está ? — 10 preguntaba Catalina. — ¿ Qué sé yo ? — la decía. A la una de la mañana, viendo que tú no venías, yo me fuí a la cama. Estaba molido. Me dormí y me desperté muy tarde y me encontré con que la monja y Catalina se habían marchado y tú no habías venido. Esperé un día, y 15 como no aparecía nadie, creí que os habíais marchado y me fuí a Bayona y dejé las letras en casa de Levi-Álvarez. Luego tu hermana empezó a decirme: — ¿ Pero dónde estará Martín ? ¿ Le ha pasado algo ? — Escribí a Briones y me contestó que estabas aquí escandalizan- 20 do el pueblo, y por eso he venido.

— Sí, la verdad es que yo tengo la culpa — dijo Martín — . ¿ Pero dónde puede estar Catalina ? ¿ Habrá seguido a la monja ?

— Es lo más probable. 25

Martín comenzó a hacer indagaciones con una actividad extraordinaria. De las dos viajeras del hotel, una se había marchado por la estación; la otra, la monja, había partido en un coche hacia Laguardia.

Martín y Bautista supusieron si las dos estarían refu- 30 giadas en Laguardia. Sin duda la monja recuperó su ascendiente sobre Catalina en vista de la falta de Martín y la convenció de que volviera con ella al convento. Era imposible que Catalina encontrándose en otro lado no hubiese escrito.

Se dedicaron a seguir la pista de la monja. Averiguaron en la venta de Asa que días antes un coche con la monja intentó pasar a Laguardia, pero al ver la carretera ocupada por el ejército liberal sitiando la ciudad y atacando las trincheras retrocedió. Suponían los de la venta que la monja habría vuelto a Logroño, a no ser que intentara entrar en la ciudad sitiada, tomando en caballería el camino de Lanciego por Oyón y Venaspre.

Marcharon a Oyón y luego a Yécora, pero nadie les pudo dar razón. Los dos pueblos estaban casi abandonados.

Desde aquel camino alto se veía Laguardia rodeada de su muralla en medio de una explanada enorme. Hacia el Norte limitaba esta explanada como una muralla gris la cordillera de Cantabria; hacia el Sur podía extenderse la vista hasta los montes de Pancorbo.

En este polígono amarillento de Laguardia no se destacaban ni tejados ni campanarios, no parecía aquello un pueblo, sino más bien una fortaleza. En un extremo de la muralla se erguía un torreón envuelto en aquel instante en una densa humareda.

Al salir de Yécora, un hombre famélico y destrozado les salió al encuentro y habló con ellos. Les contó que los carlistas iban a abandonar Laguardia un día u otro. Le preguntó Martín si era posible entrar en la ciudad.

— Por la puerta es imposible — dijo el hombre —, pero yo he entrado subiendo por unos agujeros que hay en el muro entre la Puerta de Páganos y la de Mercadal.

— ¿ Pero y los centinelas ?

— No suelen haber muchas veces.

Bajaron Martín y Bautista por una senda desde Lanciego a la carretera y llegaron al sitio en donde acampaba el ejército liberal. La tropa, después de cañonear las trincheras carlistas, avanzaba, y el enemigo abandonaba sus posiciones refugiándose en los muros.

El regimiento del capitán Briones se encontraba en las avanzadas. Martín preguntó por él y lo encontró. Briones presentó a Zalacaín y a Bautista a algunos oficiales compañeros suyos, y por la noche tuvieron una partida de cartas y jugaron y bebieron. Ganó Martín, y uno de los compañeros de Briones, un teniente aragonés que había perdido toda su paga, comenzó, para vengarse, a hablar mal de los vascongados, y Zalacaín y él se enzarzaron en una estúpida discusión de amor propio regional, de ésas tan frecuentes en España.

Decía el teniente aragonés que los vascongados eran tan torpes, que un capitán carlista, para enseñarles a marchar a la derecha y a la izquierda elevaba un manojo de paja en la mano y les decía, por ejemplo: ¡ Doble derecha ! y en seguida pasaba el manojo a la derecha y decía. ¡ Hacia el lado de la paja ! Además, según el oficial, los vascongados eran unos poltrones que no se querían batir más que estando cerca de sus casas.

Martín se estaba amoscando, y dijo al oficial:

— Yo no sé como serán los vascongados, pero lo que le puedo decir a usted es que lo que usted o cualquiera de estos señores haga, lo hago yo por debajo de la pierna.

— Y yo — dijo Bautista, colocándose al lado de Martín.

— Vamos, hombre — dijo Briones —. No sean ustedes tontos. El teniente Ramírez no ha querido ofenderles.

— No nos ha llamado más que estúpidos y cobardes —

dijo riendo Martín —. Claro que a mí no me importa nada lo que este señor opine de nosotros, pero me gustaría encontrar una ocasión para probarle que está equivocado.

— Salga usted — dijo el teniente.

— Cuando usted quiera — contestó Martín.

— No — replicó Briones —, yo lo prohibo. El teniente Ramírez quedará arrestado.

— Está bien — dijo refunfuñando el aludido.

— Si estos señores quieren un poco de jaleo, cuando tomemos Laguardia pueden venir con nosotros — advirtió el oficial.

Martín creyó ver alguna ironía en las palabras del militar y replicó burlonamente:

— ¡ Cuando tomen ustedes Laguardia ! No, hombre. Eso no es nada para nosotros. Yo voy solo a Laguardia y la tomo, o a lo más con mi cuñado Bautista.

Se echaron todos a reír de la fanfarronada, pero viendo que Martín insistía, diciendo que aquella misma noche iban a entrar en la ciudad sitiada, pensaron que Martín estaba loco. Briones, que le conocía, trató de disuadirle de hacer esta barbaridad, pero Zalacaín no se convenció.

— ¿ Ven ustedes este pañuelo blanco ? — dijo —. Mañana al amanecer lo verán ustedes en este palo flotando sobre Laguardia. ¿ Habrá por aquí una cuerda ?

Uno de los oficiales jóvenes trajo una cuerda, y Martín y Bautista, sin hacer caso de las palabras de Briones, avanzaron por la carretera.

El frío de la noche les serenó, y Martín y su cuñado se miraron algo extrañados. Se dice que los antiguos godos tenían la costumbre de resolver sus asuntos dos veces, una borrachos y otra serenos. De esta manera unían en sus decisiones el atrevimiento y la prudencia. Martín sintió no haber seguido esta prudente táctica goda, pero se calló y dió a entender que se encontraba en uno de los momentos regocijados de su vida.

— ¿ Qué ? ¿ Vamos a ir ? — preguntó Bautista.

— Probaremos.

Se acercaron a Laguardia. A poca distancia de sus muros tomaron a la izquierda, por la Senda de las Damas, hasta salir al camino de El Ciego y cruzando éste se acercaron a la altura en donde se asienta la cuidad. Dejaron a un lado el cementerio y llegaron a un paseo con árboles que circunda el pueblo.

Debían de encontrarse en el punto indicado por el hombre de Yécora, entre la puerta de Mercadal y la de Páganos.

Efectivamente, el sitio era aquél. Distinguieron los agujeros en el muro que servían de escalera; los de abajo estaban tapados.

— Podríamos abrir estos boquetes — dijo Bautista.

— ¡ Hum ! Tardaríamos mucho — contestó Martín —. Súbete encima de mí a ver si llegas. Toma la cuerda.

Bautista se encaramó sobre los hombros de Martín, y luego, viendo que se podía subir sin dificultad, escaló la muralla hasta lo alto. Asomó la cabeza y viendo que no había vigilancia saltó encima.

— ¿ Nadie ? — dijo Martín.

— Nadie.

Sujetó Bautista la cuerda con un lazo corredizo en un ángulo de un torreón, y subió Martín a pulso, con el palo en los dientes.

Se deslizaron los dos por el borde de la muralla, hasta enfilar una calleja. Ni guardia, ni centinela; no se veía ni se oía nada. El pueblo parecía muerto.

— ¿ Qué pasará aquí ? — se dijo Martín.

Se acercaron al otro extremo de la ciudad. El mismo silencio. Nadie. Indudablemente, los carlistas habían huído de Laguardia.

Martín y Bautista adquirieron el convencimiento de que el pueblo estaba abandonado. Avanzaron con esta confianza hasta cerca de la puerta del Mercadal; y enfrente del cementerio, hacia la carretera de Logroño, sujetaron entre dos piedras el palo y ataron en su punta el pañuelo blanco.

Hecho esto, volvieron de prisa al punto por donde habían subido. La cuerda seguía en el mismo sitio. Amanecía. Desde allá arriba se veía una enorme extensión de campo. La luz comenzaba a indicar las sombras de los viñedos y de los olivares. El viento fresco anunciaba la proximidad del día.

— Bueno, baja — dijo Martín —. Yo sujetaré la cuerda.

— No, baja tú — replicó Bautista.

— Vamos, no seas imbécil.

— ¿ Quién vive ? — gritó una voz en aquel mismo momento.

Ninguno de los dos contestó. Bautista comenzó a bajar despacio. Martín se tendió en la muralla.

— ¿ Quién vive ? — volvió a gritar el centinela.

Martín se aplastó en el suelo todo lo que pudo; sonó un disparo y una bala pasó por encima de su cabeza. Afortunadamente, el centinela estaba lejos. Cuando Bautista descendió, Martín comenzó a bajar. Tuvo la suerte de que la cuerda no se deslizase. Bautista le esperaba con el alma en un hilo. Había movimiento en la muralla; cuatro o cinco hombres se asomaron a ella, y

ATARON EN SU PUNTA EL PAÑUELO BLANCO

Martín y Bautista se escondieron tras de los árboles del paseo que circundaba el pueblo. Lo malo era que aclaraba cada vez más. Fueron pasando de árbol a árbol, hasta llegar cerca del cementerio.

5 — Ahora no hay más remedio que echar a correr a la descubierta — dijo Martín —. A la una . . ., a las dos . . . Vamos allá.

Echaron los dos a correr. Sonaron varios tiros. Ambos llegaron ilesos al cementerio. De aquí ganaron pronto el 10 camino de Logroño. Ya fuera de peligro, miraron hacia atrás. El pañuelo seguía en la muralla ondeando al viento. Briones y sus amigos recibieron a Martín y a Bautista como a héroes.

Al día siguiente, los carlistas abandonaron Laguardia y 15 se refugiaron en Peñacerrada. La población enarboló bandera de parlamento; y el ejército, con el general al frente, entraba en la ciudad.

Por más que Martín y Bautista preguntaron en todas las casas, no encontraron a Catalina.

LIBRO TERCERO

LAS ÚLTIMAS AVENTURAS

CAPÍTULO PRIMERO

LOS RECIÉN CASADOS ESTÁN CONTENTOS

CATALINA no fué inflexible. Pocos días después, Martín recibió una carta de su hermana. Decía la Ignacia que Catalina estaba en su casa, en Zaro, desde hacía algunos días. Al principio no había querido oír hablar de Martín, pero ahora le perdonaba y le esperaba. 5

Martín y Bautista se presentaron en Zaro inmediatamente, y los novios se reconciliaron.

Se preparó la boda. ¡Qué paz se disfrutaba allí, mientras se mataban en España! La gente trabajaba en el campo. Los domingos, después de la misa, los aldeanos endomingados, con la chaqueta al hombro, se reunían en la sidrería y en el juego de pelota; las mujeres iban a la iglesia, con un capuchón negro, que rodeaba su cabeza. Catalina cantaba en el coro y Martín la oía, como en la infancia, cuando en la iglesia de Urbia entonaba el Aleluya. 10 15

Se celebró la boda, con la posible solemnidad, en la iglesia de Zaro y luego la fiesta en la casa de Bautista.

Hacía todavía frío, y los aldeanos amigos se reunieron en la cocina de la casa, que era grande, hermosa y limpia. En la enorme chimenea redonda se echaron montones de leña, y los invitados cantaron y bebieron hasta bien entrada la noche, al resplandor de las llamas. Los padres de Bautista, dos viejecitos arrugados, que hablaban sólo vascuence, cantaron una canción monótona de su tiempo, 20 25

lució su voz y su repertorio completo y cantó
n en honor de los novios.

Ezcon berriyac
pozquidac daudé
5 pozquidac daudé
eguin diralaco gaur
alcarren jabé
elizan.

(Los recién casados están muy alegres, porque hoy se
10 han hecho dueños, uno de otro, en la iglesia.)

La fiesta acabó, con la mayor alegría, a la media noche, en que se retiraron todos.

Pasada la luna de miel, Martín volvió a las andadas. No paraba; iba y venía de España a Francia, sin poder
15 reposar.

Catalina deseaba ardientemente que acabara la guerra e intentaba retener a Martín a su lado.

— Pero, ¿ qué quieres más ? — le decía —. ¿ No tienes ya bastante dinero ? ¿ Para qué exponerte de nuevo ?

20 — Si no me expongo — replicaba Martín.

Pero no era verdad, tenía ambición, amor al peligro y una confianza ciega en su estrella. La vida sedentaria le irritaba.

Martín y Bautista dejaban solas a las dos mujeres y se
25 iban a España. Al año de casada, Catalina tuvo un hijo, al que llamaron José Miguel, recordando Martín la recomendación del viejo Tellagorri.

CAPÍTULO II

EN DONDE MARTÍN COMIENZA A TRABAJAR POR LA GLORIA

CON LA PROCLAMACIÓN de la monarquía en España, comenzó el deshielo en el campo carlista.

La batalla de Lácar, perdida de una manera ridícula por el ejército regular en presencia del nuevo rey, dió alientos a los carlistas, pero a pesar del triunfo y del botín la causa del Pretendiente iba de capa caída. . .

En la época de las nieves, un general audaz que venía de muy lejos intentó envolver a los carlistas por el lado del Pirineo, y saliendo de Pamplona avanzó por la carretera de Elizondo; pero al ver el alto de Velate defendido y atrincherado por los carlistas, se retiró hacia Enguí y luego tomó por el puerto de Olaberri, próximo a la frontera, por entre bosques y sendas malísimas; y perdidos sus soldados en los bosques, llegaron después de dos días y tres noches al Baztán.

La imprudencia era grande, pero aquel general tuvo suerte, porque si la terrible nevada que cayó al día siguiente de estar en Elizondo cae antes, hubieran quedado la mitad de las tropas entre la nieve.

El general pidió víveres a Francia, y gracias a la ayuda del país vecino, pudo dar de comer a su gente y preparar alojamiento. Martín y Bautista se hallaban en relación con una casa de Bayona, y fueron a Añoa con sus carros.

Añoa está a un kilómetro próximamente de la frontera, en donde se halla establecida la aduana española de Dancharinea.

Aquel día, una porción de gente de la frontera francesa se asomó a Añoa. La carretera estaba atestada de carromatos, carretas y ómnibus, que conducían al valle de Baztán para las tropas fardos de zapatos, sacos de pan, cajones de galleta de Burdeos, esparto para las camas, barriles de vino y de aguardiente.

El camino estaba intransitable y lleno de barro. Además de todo aquel convoy de mercancías consignado al ejército, hallábanse otros coches atiborrados de géneros que algunos comerciantes de Bayona llevaban a ver si vendían al por menor. Había también cerca del puente, sobre el riachuelo Ugarona, una porción de cantineros con sus cestas, frascos y cachivaches.

Martín con su mujer, y Bautista con la suya, se acercaron a Añoa y se alojaron en la venta. Catalina quería ver si obtenía noticias de su hermano.

En la venta preguntaron a un muchacho desertor carlista, pero no supo darles ninguna razón de Carlos Ohando.

— Si no está en Peñaplata, irá camino de Burguete — les dijo.

Se encontraban a la puerta de la venta Martín y Bautista, cuando pasó, envuelto en su capote, Briones, el hermano de Rosita. Le saludó a Martín muy afectuoso y entró en la venta. Vestía uniforme de comandante y llevaba cordones dorados como los ayudantes de generales.

— He hablado mucho de usted a mi general — le dijo a Martín.

— ¿ Sí ?

— Ya lo creo. Tendría mucho gusto en conocer a usted. Le he contado sus aventuras. ¿ Quiere usted venir a saludarle ? Tengo ahí un caballo de mi asistente.

— ¿ Dónde está el general ?

— En Elizondo. ¿ Viene usted ?

— Vamos.

Advirtió Martín a su mujer que se marchaba a Elizondo; montaron Briones y Zalacaín a caballo y charlando de 5 muchas cosas llegaron a esta villa, centro del valle del Baztán. El general se alojaba en un palacio de la plaza; a la puerta dos oficiales hablaban.

Le hizo pasar Briones a Martín al cuarto en donde se encontraba el general. Éste, sentado a una mesa donde 10 tenía planos y papeles, fumaba un cigarro puro y discutía con varias personas.

Presentó Briones a Martín, y el general, después de estrecharle la mano, le dijo bruscamente:

— Me ha contado Briones sus aventuras. Le felicito a 15 usted.

— Muchas gracias, mi general.

— ¿ Conoce usted toda esta zona de mugas de la frontera que domina el valle del Baztán ?

— Sí, como mi propia mano. Creo que no habrá otro 20 que las conozca tan bien.

— ¿ Sabe usted los caminos y las sendas ?

— No hay más que sendas.

— ¿ Hay sendero para subir a Peñaplata por el lado de Zugarramurdi ? 25

— Lo hay.

— ¿ Pueden subir caballos ?

— Sí, fácilmente.

El general discutió con Briones y con el otro ayudante. Él había tenido el proyecto de cerrar la frontera e impedir 30 la retirada a Francia del grueso del ejército carlista, pero era imposible.

— Usted ¿ qué ideas políticas tiene ? — preguntó de pronto el general a Martín.

— Yo he trabajado para los carlistas, pero en el fondo creo que soy liberal.

5 — ¿ Querría usted servir de guía a la columna que subirá mañana a Peñaplata ?

— No tengo inconveniente.

El general se levantó de la silla en donde estaba sentado y se acercó con Zalacaín a uno de los balcones.

10 — Creo — le dijo — que actualmente soy el hombre de más influencia de España. ¿ Qué quiere usted ser ? ¿ No tiene usted ambiciones ?

— Actualmente soy casi rico; mi mujer lo es también . . .

— ¿ De dónde es usted ?

15 — De Urbía.

— ¿ Quiere usted que le nombremos alcalde de allá ?

Martín reflexionó.

— Sí, eso me gusta — dijo.

— Pues cuente usted con ello. Mañana por la mañana 20 hay que estar aquí.

— ¿ Van a ir tropas por Zugarramurdi ?

— Sí.

— Yo les esperaré en la carretera, junto al alto de Maya.

Martín se despidió del general y de Briones, y volvió a 25 Añoa, para tranquilizar a su mujer. Contó a Bautista su conversación con el general; Bautista se lo dijo a su mujer y ésta a Catalina.

A media noche, se preparaba Martín a montar a caballo, cuando se presentó Catalina con su hijo en brazos.

30 — ¡ Martín ! ¡ Martín ! — le dijo sollozando —. Me han asegurado que quieres ir con el ejército a subir a Peñaplata.

— ¿ Yo ?

— Sí.

— Es verdad. ¿ Y eso te asusta ?

— No vayas. Te van a matar, Martín. ¡ No vayas ! ¡ Por nuestro hijo ! ¡ Por mí ! 5

— Bah, ¡ tonterías ! ¿ Qué miedo puedes tener ? Si he estado otras veces solo, ¿ qué me va a pasar, yendo en compañía de tanta gente ?

— Sí, pero ahora no vayas, Martín. La guerra se va a acabar en seguida. Que no te pase algo al final. 10

— Me he comprometido. Tengo que ir.

— ¡ Oh, Martín ! — sollozó Catalina —. Tú eres todo para mí; yo no tengo padre, ni madre, ni tengo hermano, porque el cariño que pudiese tenerle a él lo he puesto en ti y en tu hijo. No vayas a dejarme viuda, Martín. 15

— No tengas cuidado. Estáte tranquila. Mi vida está asegurada, pero tengo que ir. He dado mi palabra . . .

— Por tu hijo . . .

— Sí, por mi hijo también . . . No quiero que, andando el tiempo, puedan decir de él: « Éste es el hijo de 20 Zalacaín, que dió su palabra y no la cumplió por miedo »; no, si dicen algo, que digan: « Éste es Miguel Zalacaín, el hijo de Martín Zalacaín, tan valiente como su padre . . . No. Más valiente aún que su padre.»

Y Martín, con sus palabras, llegó a infundir ánimo en 25 su mujer, acarició al niño, que le miraba sonriendo desde el regazo de su madre, abrazó a ésta y, montando a caballo, desapareció por el camino de Elizondo.

CAPÍTULO III

LA BATALLA CERCA DEL MONTE AQUELARRE

MARTÍN llegó al alto de Maya al amanecer, subió un poco por la carretera y vió que venía la tropa. Se reunió con Briones y ambos se pusieron a la cabeza de la columna. Al llegar a Zugarramurdi, comenzaba a clarear. Sobre el 5 pueblo, las cimas del monte, blancas y pulidas por la lluvia, brillaban con los primeros rayos del sol. De esta blancura de las rocas procedía el nombre del monte Arrizuri (piedra blanca) en vasco y Peñaplata en castellano.

Martín tomó el sendero que bordea un torrente. Una 10 capa de arcilla humedecida cubría el camino, por el cual los caballos y los hombres se resbalaban. El sendero tan pronto se acercaba a la torrentera, llena de malezas y de troncos podridos de árboles, como se separaba de ella. Los soldados caían en este terreno resbaladizo. A cierta 15 altura el torrente era ya un precipicio, por cuyo fondo, lleno de matorrales, se precipitaba el agua brillante.

Mientras marchaban Martín y Briones a caballo, fueron hablando amistosamente. Martín felicitó a Briones por sus ascensos.

20 — Sí, no estoy descontento — dijo el comandante —; pero usted, amigo Zalacaín, es el que avanza con rapidez, si sigue así; si en estos años adelanta usted lo que ha adelantado en los cinco pasados, va usted a llegar donde quiera.

25 — ¿ Creerá usted que yo ya no tengo casi ambición ?

— ¿ No ?

— No. Sin duda, eran los obstáculos los que me daban

antes bríos y fuerza, el ver que todo el mundo s
a mi paso para estorbarme. Que uno quería
obstáculo; que uno quería a una mujer y la
quería a uno, el obstáculo también. Ahora no tengo obstáculos, y ya no sé qué hacer. Voy a tener que inventarme otras ocupaciones y otros quebraderos de cabeza.

— Es usted la inquietud personificada, Martín — dijo Briones.

— ¿ Qué quiere usted ? He crecido salvaje como las hierbas y necesito la acción, la acción continua. Yo, muchas veces pienso que llegará un día en que los hombres podrán aprovechar las pasiones de los demás en algo bueno.

— ¿ También es usted soñador ?

— También.

— La verdad es que es usted un hombre pintoresco, amigo Zalacaín.

— Pero la mayoría de los hombres son como yo.

— Oh, no. La mayoría somos gente tranquila, pacífica, un poco muerta.

— Pues yo estoy vivo, eso sí; pero la misma vida que no puedo emplear se me queda dentro y se me pudre. Sabe usted, yo quisiera que todo viviese, que todo comenzara a marchar, no dejar nada parado, empujar todo al movimiento, hombres, mujeres, negocios, máquinas, minas, nada quieto, nada inmóvil . . .

— Extrañas ideas — murmuró Briones.

Concluía el camino y comenzaban las sendas a dividirse y a subdividirse, escalando la altura.

Al llegar a este punto, Martín avisó a Briones que era conveniente que sus tropas estuviesen preparadas, pues al final de estas sendas se encontrarían en terreno descubierto y desprovisto de árboles. Briones mandó a los tiradores de la vanguardia preparasen sus armas y fueran avanzando despacio en guerrilla.

— Mientras unos van por aquí — dijo Martín a Briones — otros pueden subir por el lado opuesto. Hay allá arriba una explanada grande. Si los carlistas se parapetan entre las rocas van a hacer una mortandad terrible.

Briones dió cuenta al general de lo dicho por Martín, y aquél ordenó que medio batallón fuera por el lado indicado por el guía. Mientras no oyeran los tiros del grueso de la fuerza no debían atacar.

Zalacaín y Briones bajaron de sus caballos y tomaron por una senda, y durante un par de horas fueron rodeando el monte, marchando entre helechos.

— Por esta parte, en una calvera del monte, en donde hay como una plazuela formada por hayas — dijo Martín — deben tener centinelas los carlistas; si no por ahí podemos subir hasta los altos de Peñaplata sin dificultad.

Al acercarse al sitio indicado por Martín, oyeron una voz que cantaba. Sorprendidos, fueron despacio acortando la distancia.

— No serán las brujas — dijo Martín.

— ¿ Por qué las brujas ? — preguntó Briones.

— ¿ No sabe usted que éstos son los montes de las brujas ? Aquél es el monte Aquelarre — contestó Martín.

— ¿ El Aquelarre ? ¿ Pero existe ?

— Sí.

— ¿ Y quiere decir algo en vascuence, ese nombre ?

— ¿ Aquelarre ? . . . Sí, quiere decir Prado del macho cabrío.

— ¿ El macho cabrío será el demonio ?

— Probablemente.

La canción no la cantaban las brujas, sino un muchacho que en compañía de diez o doce estaba calentándose alrededor de una hoguera. Uno cantaba canciones liberales y carlistas y los otros le coreaban. No habían comenzado a oírse los primeros tiros, y Briones y su gente esperaron tendidos entre los matorrales.

Martín sentía como un remordimiento al pensar que aquellos alegres muchachos iban a ser fusilados dentro de unos momentos.

La señal no se hizo esperar y no fué un tiro, sino una serie de descargas cerradas.

— ¡ Fuego ! — gritó Briones.

Tres o cuatro de los cantores cayeron a tierra y los demás, saltando entre breñales, comenzaron a huír y a disparar.

La acción se generalizaba; debía de ser furiosa a juzgar por el ruido de fusilería. Briones, con su tropa, y Martín subían por el monte a duras penas. Al llegar a los altos, los carlistas, cogidos entre dos fuegos, se retiraron. La gran explanada del monte estaba sembrada de heridos y de muertos. Iban recogiéndolos en camillas. Todavía seguía la acción, pero poco después una columna de ejército avanzaba por el monte por otro lado, y los carlistas huían a la desbandada hacia Francia.

CAPÍTULO IV

DONDE LA HISTORIA MODERNA REPITE EL HECHO DE LA HISTORIA ANTIGUA

FUERON Martín y Catalina en su carricoche a Saint Jean Pied de Port. Todo el grueso del ejército carlista entraba, en su retirada de España, por el barranco de Roncesvalles y por Valcarlos. Una porción de comerciantes se había descolgado por allí, como cuervos al olor de la carne muerta, y compraban hermosos caballos por diez o doce duros, espadas, fusiles y ropas a precios ínfimos.

Era un poco repulsivo ver esta explotación, y Martín, sintiéndose patriota, habló de la avaricia y de la sordidez de los franceses. Un ropavejero de Bayona le dijo que el negocio es el negocio y que cada cual se aprovechaba cuando podía.

Martín no quiso discutir. Preguntaron Catalina y él a varios carlistas de Urbia por Ohando, y uno le indicó que Carlos, en compañía del *Cacho*, había salido de Burguete muy tarde, porque estaba muy enfermo.

Sin atender a que fuera o no prudente, Martín tomó el carricoche por el camino de Arneguy; atravesaron este pueblecillo que tiene dos barrios, uno español y otro francés, en las orillas de un riachuelo, y siguieron hasta Valcarlos.

Catalina, al ver aquel espectáculo, quedó horrorizada. La estrecha carretera era un campo de desolación. Casas humeando aún por el incendio, árboles rotos, zanjas, el suelo sembrado de municiones de guerra, cajas, correas de

La estrecha carretera era un campo de desolación

artillería, bayonetas torcidas, instrumentos musicales de cobre aplastados por los carros.

En la cuneta de la carretera se veía a un muerto medio desnudo, sin botas, con el cuerpo cubierto por hojas de helechos; el barro le manchaba la cara.

En el aire gris una nube de cuervos avanzaba, siguiendo aquel ejército funesto, para devorar sus despojos.

Martín, atendiendo a la impresión de Catalina, volvió prudentemente hasta llegar de nuevo al barrio francés de Arneguy. Entraron en la posada. Allí estaba el extranjero.*

— ¿ No le decía a usted que nos veríamos todavía? — dijo éste.

— Sí. Es verdad.

Martín presentó a su mujer al periodista y los tres reunidos esperaron a que llegaran los últimos soldados.

Al anochecer, en un grupo de seis o siete, apareció Carlos Ohando y *el Cacho*.

Catalina se acercó a su hermano con los brazos abiertos.

— ¡ Carlos ! ¡ Carlos ! — gritó.

Ohando quedó atónito al verla; luego con un gesto de ira y de desprecio añadió:

— Quítate de delante. ¡ Perdida ! ¡ Nos has deshonrado !

Y en su brutalidad escupió a Catalina en la cara. Martín, cegado, saltó como un tigre sobre Carlos y le agarró por el cuello.

— ¡ Canalla ! ¡ Cobarde ! — rugió —. Ahora mismo vas a pedir perdón a tu hermana.

— ¡ Suelta ! ¡ Suelta ! — exclamó Carlos ahogándose.

— ¡ De rodillas !

* Véanse las Notas.

— ¡ Por Dios, Martín ! ¡ Déjale ! — gritó Catalina —. ¡ Déjale !

— No, porque es un miserable, un canalla cobarde, y te va a pedir perdón de rodillas.

— No — exclamó Ohando. 5

— Sí — y Martín le llevó por el cuello, arrastrándole por el barro, hasta donde estaba Catalina.

— No sea usted bárbaro — exclamó el extranjero —. Déjelo usted.

— ¡ A mí, *Cacho!* ¡ A mí ! — gritó Carlos ahogadamente. 10

Entonces, antes de que nadie lo pudiera evitar, *el Cacho*, desde la esquina de la posada, levantó su fusil, apuntó; se oyó una detonación, y Martín, herido en la espalda, vaciló, soltó a Ohando y cayó en la tierra.

Carlos se levantó y quedó mirando a su adversario. 15 Catalina se lanzó sobre el cuerpo de su marido y trató de incorporarle. Era inútil.

Martín tomó la mano de su mujer y con un esfuerzo último se la llevó a los labios —. ¡ Adiós ! — murmuró débilmente, se le nublaron los ojos y quedó muerto. 20

A lo lejos, un clarín guerrero hacía temblar el aire de Roncesvalles.

Así se habían estremecido aquellos montes con el cuerno de Rolando.

Así hacía cerca de quinientos años había matado también a traición Velche de Micolalde, deudo de los Ohando, 25 a Martín López de Zalacaín.

Catalina se desmayó al lado del cadáver de su marido. El extranjero con la gente de la fonda la atendieron. Mientras tanto, unos gendarmes franceses persiguieron al 30 *Cacho*, y viendo que éste no se detenía, le dispararon varios tiros hasta que cayó herido.

El cadáver de Martín se llevó al interior de la posada y estuvo toda la noche rodeado de cirios. Los amigos no cabían en la casa. Acudieron a rezar el oficio de difuntos el abad de Roncesvalles y los curas de Arneguy, de Val-5 carlos y de Zaro.

Por la mañana se verificó el entierro. El día estaba claro y alegre. Se sacó la caja y se la colocó en el coche que habían mandado de San Juan del Pie del Puerto. Todos los labradores de los caseríos propiedad de los 10 Ohandos estaban allí; habían venido de Urbia a pie para asistir al entierro. Y presidieron el duelo Briones, vestido de uniforme, Bautista Urbide y Capistun el americano.

Y las mujeres lloraban.

— Tan grande como era — decían —. ¡ Pobre ! ¡ Quién 15 había de decir que tendríamos que asistir a su entierro, nosotros que le hemos conocido de niño !

El cortejo tomó el camino de Zaro y allí tuvo fin la triste ceremonia.

Meses después, Carlos Ohando entró en San Ignacio 20 de Loyola; *el Cacho* estuvo en el hospital, en donde le cortaron una pierna, y luego fué enviado a un presidio francés; y Catalina, con su hijo, marchó a Zaro a vivir al lado de la Ignacia y de Bautista.

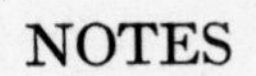

NOTES

NOTES

Page 3. — 1. **Ciudadela.** The setting of this story is in and around a city which the author calls **Urbia** (a name meaning 'city'). Although it does not actually exist with this name, Urbia is typical of the Basque cities. In a prologue which has been omitted, the author gives a detailed description of the city as it looked about 1870, the period of the last Carlist war, which is referred to later in the text. It was an old city, containing an old and new quarter, the former being known locally as **la calle.** The citadel or fortress (**ciudadela**) was situated on a steep hill just outside of the city and dominating it.

2. **portal de Francia.** The gate in the city wall through which ran the highway to the French frontier.

11. **estuvo,** *had been.* The preterit with pluperfect force is not uncommon, especially in dependent clauses.

19. **Los Zalacaín.** According to the grammars, family names form the plural regularly except those ending in **–ez.** Practice varies somewhat. See page 4, line 7.

23. **muerto,** *who had died.*

Page 4. — 5. **familia la más antigua.** When a noun in apposition is modified by an adjective in the superlative degree (if formed of the definite article and **más,** as here) the article may follow the noun.

20–21. **andar siempre hecho un andrajoso,** *always looking like a ragamuffin.*

Page 5. — 17. **te vi que estabas robando,** *I saw you stealing.*

20. **creyó no debía** = **creyó que no debía.**

32. **que antes lo matarían,** *that he would die first.*

Page 6. — 11. **a su hijo,** object of **enviaba.**

14. **que.** Required after **responder,** but not to be translated.

Page 7. — 6. **supo,** *learned of.*

22. **vasco.** The Basques are a separate, non-Latin race of people, inhabiting the province of Guipúzcoa, most of Viscaya, parts of Álava and of Navarre in Spain and in France, the arrondissement of Mauléon, part of that of Bayonne and one commune of that of d'Oloron. Their number may perhaps reach 600,000 in Europe, of whom some two-thirds are in Spain, in addition to possibly 100,000 emigrants, residents of various foreign countries. They are a sturdy, self-respecting people, marked by great conservatism and pride of race. Their chief industries are mining and fishing. The author of *Zalacaín* is himself a Basque. As to the origin of this race, various theories exist but little or nothing is certainly known. The one most generally accepted is that they are the descendants of those tribes whom the Greeks and Romans knew as Iberians. It is probable that the Roman conquest of Spain included the Basque country, but that of the Moors seems not to have penetrated Guipúzcoa, Viscaya or the greater part of Álava. These, the Basque Provinces, furnished, together with the Asturias, the nucleus of resistance to the Arabs and later reconquest. The isolation of the Basques and their poverty are the reasons for their not coming under the civilizing influence felt by the rest of Spain during the Roman occupation. They engaged in barbarous and bloody wars among themselves throughout the Middle Ages. The history of the Basque Provinces is much too complicated to summarize here. Dependencies in whole or in part, and at different periods, of the crowns of Castile and Navarre, they were finally united with that of Spain under the Catholic Sovereigns, Ferdinand and Isabella. The celebrated *fueros*, or charters of local self-government, grew out of the privileges granted in the first instance by the king to the noble who was to "people" a given district, and might be different for the several cities, but bore a family resemblance to each other. The successive kings of Spain swore to observe the *fueros*, partly because of economic reasons, e.g., the poverty and sterility of the country, but largely because the central government wished to placate the Basques so as to be sure of their support against French invasion across the Pyrenees. An attempt was made in

1839–1841 to modify these *fueros*, and the resulting resentment of the Basques made sure their coöperation with the Pretender, who promised to restore the *fueros*. The inhabitants of Viscaya and Guipúzcoa always maintained that they were noble by birth, i.e., that being born within the limits of those provinces entitled them to all the rights, privileges and immunities granted by law to the class known as *hijosdalgo*. This was never legally conferred by a *fuero* but certain immunities were, in fact, enjoyed, e.g., until 1877 the Basque Provinces furnished no conscripts to the army. The Basque language, which in origin has no connection with Latin, stands isolated from the other European tongues, although scholars have found in it structural resemblances to both Magyar and Finnish. It is of the agglutinative type. A large part of the words in present use, perhaps 75 per cent, are from other sources than the native linguistic stock. It has no distinctive graphic system and its literature is of modern origin. The language is losing ground through the encroachments of French in the north and Spanish in the south. (See the several notes to page 37.)

25. **en el extremo opuesto de su casa,** *on the opposite side of the city from his house.* In Spain the gardens do not usually surround the dwelling.

Page 8. — 15. **para cuando la veda,** *for use in the closed season.*

Page 10. — 21. **llévatelas a casa,** *take them home with you.* The **te** is the so-called ethical dative. It cannot always be translated idiomatically into English.

26. **El ver.** The infinitive may be the subject of a finite verb, as here, in which case it often takes the definite article. Translate, *seeing*. Cf. line 27, **el contemplar.**

28. **iba.** The subjects of **iba** are **El ver** and **el contemplar.** When two subjects are regarded as essentially identical they may govern a verb in the singular. **Iba** is here an auxiliary; **iba dando,** *were giving.*

Page 11. — 18. *¡Arrayua!* This is a very common interjection among the Basques, the meaning of which is vague. Like many other Basque words, it is of Latin or Castilian origin, and is equivalent to **rayo** (*lightning*). Cf. English 'thunder' or 'thunder and lightning,' used as interjections.

Page 12. — 1. **guerra civil.** Ferdinand VII published in 1830 the "Pragmatic Sanction" restoring the ancient Spanish law of succession by which females might inherit the crown. His brother Don Carlos indignantly denied the sovereign's right to abrogate the decree of Philip V (1713) establishing the Salic law, which limited the succession to male issue, and by virtue of which Don Carlos was the heir apparent. Ferdinand revoked the "Sanction" in 1832 but cancelled the revocation later in the same year, and Don Carlos was practically banished to Portugal (March, 1833). Ferdinand died September 29, 1833. Carlos, who had refused to swear allegiance to the baby Queen Isabel II, remained in Portugal until May 30, 1834, when he sailed for England. Sporadic uprisings in his favor had already taken place in the north of Spain and the Basque provinces were solidly for him. His best general, Tomás Zumalacárregui, had already organized an army to make good his claim to the throne when Carlos arrived in Elizondo July 9, 1834. Thus began seven years of civil war between the *Carlists*, who represented the reactionaries, and the supporters of Isabel II and her mother, the Queen Regent María Cristina, who were known as *Cristinos*. Zumalacárregui, who showed real military genius, particularly in the type of guerrilla warfare which developed in the mountainous northern provinces, was too much for Cristina's generals and the war went favorably for the Carlists until the siege of Bilbao, June, 1835, at which Zumalacárregui received a wound which proved fatal. The siege failed and the Carlist cause, which had been near to success, began to lose ground. England sent troops to the aid of Cristina, and Don Carlos was doomed, although his army virtually held a third of Spain. He tried vainly, on two other occasions, to seize Bilbao, the last decisive battle taking place December 24, 1836. After this it was evident that he could never conquer Spain by force of arms, although by taking advantage of the confusion resulting from political intrigue he was able to penetrate to the gates of Madrid, September 11, 1837.

His forces rapidly dwindled, and his cause entirely collapsed with the signing of the treaty of Vergara, August 31, 1839.

32. **desnudo** modifies **monte,** line 31.

Page 14. — 23. **Más te valía,** *It would be better for you.* The imperfect is used with the force of the conditional.

Page 15. — 27. **flores de María** (or **flores de Mayo**). Songs of devotion to the Virgin which are sung every day during the month of May.

Page 16. — 15. **antes del año = antes del fin del año.**

19. **coche de Francia,** *the stagecoach to France.*

Page 17. — 7. **se los hacían,** *gave him errands to do;* **los** refers to **encargos,** line 6.

Page 18. — 6–7. **De casta le viene al galgo.** The complete proverb adds: **el ser corredor,** i.e., *the hound comes honestly by his traits.* Children take after their parents.

26. **A la semana,** *After a week.*

Page 19. — 14–15. **blancos . . . negros.** By **blancos** is meant the Absolutist (or Carlist) party as opposed to the **negros** or Liberals. The names seem to have come into general use during the years 1823–1833.

Page 20. — 19. **El verano = En el verano.**

Page 21. — 1. **No vas,** *You don't come.* Spanish use of the verbs **ir** and **venir** is more strictly logical than the English. Thus Catalina, being at the moment elsewhere than in her own house, uses **ir** where in English she would have said *come.*

6. **me.** Ethical dative; do not translate.

7–8. **juego de pelota.** The Basque game of *pelota* vaguely resembles hand ball, but is a much more complicated and strenuous game. It is played upon a concrete or stone court (*cancha*) and against two walls of similar material some forty feet high (*blê* and *frontis*) which meet at a right angle. There may be a third wall (*rebote*) forming, with the other two, three sides of a rectangle. It may be played with the hand (*a mano*), with a glove (*a guante*), with a paddle (*a pala*) or with a sort of racquet, as in the text (*a cesta* or *chistera*). Two men play on each side, a "forward" (*delantero*) and a "back" (*zaguero*). The regulation costume is white trousers, a red or blue sash and white shirt. The rules of the game are complicated.

17–18. **era del que . . .,** *was that of one who . . .*

29–30. **a cesta.** The *cesta* is a curving, somewhat spoon-shaped racquet made of strongly woven wicker work with a leather glove securely fastened at the end, into which the player puts his hand. — **diez juegos.** The number of games (*juegos*) of which a match (*partido*) is to consist, is agreed upon in advance.

Page 22. — 16. **montaña.** Zalacaín and his partner belong to the highlands.

20. **raya.** If a ball struck below the mark, it constituted a fault; see next note.

30. **faltas.** There are thirteen principal faults which may be committed, e.g., when the ball touches the person of a player, when it is not received on the first bounce, etc.

Page 24. — 7. **Ahí.** The word with which the server announces that he is about to serve the ball.

12. **calle.** See note to page 3, line 1.

18. **te juega,** *will play you.* Present used with future meaning.

32. **contrabando.** Smuggling back and forth across the Franco-Spanish frontier has always been a common practice among the inhabitants of the mountain villages in the Pyrenees. It is not regarded locally as a disreputable occupation.

Page 25. — 4. **Si doña Águeda lo notaba, iba a despedir.** The imperfect indicative may be used in either or both clauses of the less vivid future condition. Translate: *If doña Águeda were to notice it, she would dismiss*, etc.

Page 26. — 18. **desprecie.** The subjunctive is governed by **quiere** in line 17.

Page 28. — 21–22. **era con Martín con quien hablaba,** *it was Martin with whom she was speaking.* This apparently illogical repetition of the preposition is common enough in Spanish. The construction is a mixture of two, viz.: **era Martín con quien hablaba** and **hablaba con Martín.**

Page 29. — 1. **siendo,** *by being.*

14. **se la había jugado a él,** *had got the better of him.* The **la** represents a feminine noun (perhaps **cosa**) which is not expressed, and is really equivalent to a neuter pronoun.

16. **sería.** Conditional of probability.

19. **hablaban = decían.**

Page 30. — 3. **en,** *whether.*

Page 35. — 3. **Salidos de,** *Leaving.*

8. **de uniformes y de capotes.** From a previous chapter, here omitted, we learn that Martin has formed a partnership with the Gascon, Capistun, for the purpose of engaging in the profitable business of smuggling goods and horses across the frontier from France.

Page 36. — 4. **si encontraban,** *if they could find.*

24. **guerra,** i.e., the second Carlist war (or the third, counting the abortive attempt led by Cabrera in 1847–49). As a result of a popular uprising, Queen Isabel lost her throne in 1868. Parliament offered the throne to the Italian prince Amadeo (1871). Declaring against him, Don Carlos (see Vocab. under **pretendiente**) crossed the frontier on foot from France May 2, 1872 and set up his headquarters at Vera (see Vocab.), but his forces were defeated in the skirmish of Oroquieta on the 4th. He disappeared for the time being, taking refuge in France, while his followers made peace under the treaty of Amorevieta (May 24). He returned in July 1873 and seized the town of Estella (see Vocab.), which became his headquarters. For a time the war proceeded favorably for Don Carlos, as much on account of the complete demoralization of the central government as because of the military skill of his officers. The Basque volunteers poured in rapidly, and before long the Carlists held practically all of the Basque Provinces and Navarre, except the larger cities, and had won important successes in Catalonia. Don Amadeo abdicated (February 11, 1873) and a Republic was

set up. The Republic was waging war in Cuba; Cádiz, Seville, Málaga, Granada, Murcia, Cartagena and Valencia had established themselves as independent " Cantons " and must be subdued by force of arms. If Don Carlos had struck straight at Madrid early in 1874, instead of frittering away time and strength in a useless siege of Bilbao, it is at least conceivable that his cause might have triumphed. As it was, he delayed until his opportunity was gone. The war of the Cantons came to an end and veteran regiments were released for service against the Carlists. The siege of Bilbao was raised (May 1, 1874), and although the existence of the Republic was doomed, its armies in the north under General Concha were bringing the Carlists to bay. The war continued throughout the year 1874, with varying fortunes. Alfonso XII, son of Isabel, was proclaimed king December 29, 1874, and with him the Bourbon line was restored. His government was in a position to prosecute the war vigorously, with an effective army of 230,000 men as against some 60,000 Carlists. The Carlists made what resistance they could and prolonged the losing fight through the year 1875. On February 27, 1876, Carlos, accompanied by a single battalion, which had refused to surrender, re-crossed the frontier into France, and this put an end to the Carlist wars.

26. **el país vasco-navarro.** The inhabitants of Navarre belong, for the most part, to the Basque race, but the language is now spoken only in the mountainous part of the province north of Pamplona.

27. **La República española.** See note to line 24. The Republic was a period of demoralization and civil strife.

28–29. **asesinatos en Málaga.** The Republican government decreed the abolition of slavery in Cuba and Porto Rico, which act was followed by rioting and bloodshed in Málaga, as well as in Barcelona and Madrid. — **incendios en Alcoy.** Alcoy in 1873 was the scene of a general strike accompanied by sanguinary disorders. — **soldados que desobedecían a los jefes.** Mutiny was rife in the army during much of the Republican period. It is said that the soldiers were wont to reply to the orders of their officers with the derisive counter-command *¡ Que bailen !*

32. **Habían entrado en Estella.** Estella, which had been

garrisoned by the Liberals, was taken by the Carlists after a terrible siege, August 17, 1873. The Pretender, Don Carlos, is said to have been present in person. The Liberals made a vain attempt to retake the city June 27, 1874, and finally succeeded in doing so February 18, 1875.

Page 37. — 4. **las tendencias de su raza.** The reasons for the enthusiasm of the Basques for the Carlist cause were both political and religious. They felt, no doubt, a sincere admiration and affection for the cadet branch of the Bourbon family, but this motive was greatly strengthened by the identification, in their minds, of the struggle of this branch to grasp the supreme power, with the support given the Carlists by the Catholic Church. In the isolated communities of the Basque country religion was the big thing in life. The Church proclaimed that it was in danger and that the cause of the Pretender was the cause of God. Furthermore, the Pretender promised the Basques to restore their charters.

6. **el romano.** Probably the Basques came under the Roman domination together with the rest of the Peninsula. Roman ruins, highways, bridges, etc., seem to make this clear. — **el godo.** There is nothing to indicate that the Visigothic conquest of Spain, at the beginning of the fifth century, did not include the Basque country.

7. **el árabe.** See note to page 7, line 22. — **el castellano.** The account of the relationship between the Basque provinces and the crown of Castile is much too long and complicated to give here in detail. They were dependencies alternately of Castile and of Navarre until they were definitely united with the former as follows: Guipúzcoa in 1200; Álava in 1332; Viscaya in 1379.

11. **Borbón.** See Vocab. under **pretendiente.**

14. **legitimistas.** See note to page 61, line 4.

18–19. **República Francesa.** The third French Republic was established September 4, 1870, and continues to the present day. — **daría fueros a Navarra.** The ancient *fueros* of Navarre, by virtue of which she paid no taxes to the central government and enjoyed other privileges, had been abolished in 1841.

20. **el poder político del Papa.** The temporal power of the

Pope came to an end in 1870, with the unification of Italy under the House of Savoy.

32. — **Page 38. — ¿ Se ha de estar siempre hecho un esclavo . . .?** *Must one remain forever a slave?*

Page 39. — 11. **Que ha entrado = Pasa que ha entrado** (see page 41, line 4). — **Cura.** Manuel Santa Cruz, (*El Cura*), born in Elduayen, March 25, 1842, joined the Carlist cause in 1870. In 1872 he was at the head of a band of guerrilla troops, ravaging Guipúzcoa in the name of Don Carlos. His cruelty and severity brought about his dismissal and banishment in July, 1873, but he returned and assembling his former followers attempted reprisals against the Carlist general, Lazárraga. He was finally sentenced to death by proclamation of the Carlist general Cevallos, but escaped to France where, at the request of Don Carlos, he was interned by the French government. See Valle Inclán's novel, *Gerifaltes de antaño.*

22. **si veo,** *if I can see.*

24. **casa.** The Ohando family owned a house in Alzate.

27. **Está = Está en casa.**

Page 40. — 22. **habrá oído,** *has no doubt heard.* Future perfect, expressing probability or conjecture.

27. **la** refers to Catalina.

31–32. **se vió con,** *found himself face to face with.*

Page 42. — 3. **lo,** i.e., **francés.**

13. **Que son traidores = Es que son traidores.**

Page 44. — 28. **dijo = había dicho.** See note to page 3, line 11.

Page 46. — 5. **fama de cruel = fama de ser cruel.**

24. **comité.** Carlist sympathizers in France formed committees to support that cause with money and supplies in various southern cities, particularly in Bayonne (see note to page 61, line 4). Supplies for Don Carlos' army were practically all imported from France. Merchants and others in Southern France favored the Carlists, who were good customers, and French neutrality was often violated during the war.

Page 47. — 15. **uno gordo = un hombre gordo.**

18. **ponían** and line 19 **dejaba;** see note to page 25, line 4.

Page 49. — 2–3. **irían avisando . . . y replegándose,** *would give word . . . and double back.*

8–9. **fueron acercándose,** *gradually approached.*

10. **iba = estaba.**

Page 50. — 3. **Joshé Cracasch.** A half-idiotic follower of *El Cura.* He had been forced into the latter's band against his will.

25–26. **tú al uno, yo al otro,** *you get one, I'll take the other.*

Page 54. — 17. **pero sí,** *but there were.* The **sí** repeats affirmatively the verb of **no había.**

32. **Tenía tiempo,** *He has had time enough.*

Page 55. — 6. **hasta . . . tiro,** *even to being shot.*

Page 56. — 14. **¿Estoy prisionero?** Although **prisionero** is listed only as a noun, its use as predicate to **estar** is fairly common, probably by analogy with **estar preso** (see page 78, line 9).

Page 57. — 15. **ésta.** Some word, implied in the meaning, equivalent to ' fix ' or ' mess,' is understood.

20. **llevaron.** Preterit with pluperfect force; see note to page 3, line 11.

Page 58. — 4. **así como dura,** *hard, so to speak.*

5. **¿ Y ahora no ?** *And now they don't?*

21. **¿ quién lo será ?** *I'd like to know who is!*

Page 59. — 14. **la verdad,** *to tell the truth.*

30. **Vaya.** See note to page 21, line 1.

Page 60. — 24. **esto,** i.e., **la guerra.**

Page 61. — 2. **El bombardeo de Irún.** Irún (see Vocab.), which was held by the Liberals with a weak garrison, had importance for the Carlists because it was a railway head close to the French frontier. Don Carlos laid siege to the city in October, 1874, but was unable to take it. The siege was raised November 11.

4. **legitimistas franceses.** The legitimist party (*parti légitimiste*) was formed in France in 1830 by the adherents of the older or Anjou branch of the Bourbon family as against the House of Orleans. It continued to exist until 1883, when it was dissolved at the death of the Comte de Chambord. Members of this party actively aided the cause of Don Carlos, the first pretender, in the first Carlist war (1834–1839) and remained in sympathy with that cause thereafter.

9. **para . . . escaparse,** *only to have to flee.*

13. **a su país** is governed by **retirarse,** line 12.

14–15. **Zalacaín no estaba contento** = **sólo Zalacaín no estaba contento.**

17. **Llevaba más de un año,** *he had been more than a year.*

Page 62. — 3. **Ya lo sé que no,** *I know it isn't.*

6. **trajeran.** The indefinite third person plural; translate, *if someone would bring him.*

20. **¿ Todo bien?** = **¿ Todo va bien?**

Page 63. — 16. **no hablemos,** *let us say no more.*

26. **Y si no** = **Y si no tengo suerte.**

Page 64. — 7–8. **de cada pueblo . . . letras.** Apparently the drafts were not all to be signed by the same persons, and as fast as they were signed Martin was to send them in to his employer.

12–13. **donde el ministro de guerra.** Don Carlos' Minister of War was Joaquín Elío y Ezpeleta who had distinguished himself in the first Carlist war and who was now some seventy years of age. Don Carlos retired him soon after the siege of Irún with the titles of Duque de Elío and Marqués de la Lealtad. — **donde** is used colloquially in certain regions with the meaning of **en casa de.** — **general en jefe.** Antonio Dorregaray was commander in chief 1873–1874; he was relieved in October 1874 by Torcuato Mendiry. The description of the general (page 68) makes it clear that the former is meant. — **entrega.** The present indicative has here imperative force.

27. **la partida del Cura.** See note to page 39, line 11. When Santa Cruz was finally banished, his followers scattered to the four winds.

30. **Algunos los tienes por aquí,** *You will find some of them here.*

Page 65. — 4–5. **Yo voy donde otro vaya,** *I will go where any man will.*

Page 66. — 5. **Estella.** Several pages describing the journey to Estella are omitted here. Martin and Bautista traveled by sea from Socoa to Zumaya, where they bought horses and proceeded to Estella by way of Aspeitia and Tolosa (see Vocab.).

6–7. **calle Mayor.** In Estella the *Calle Mayor* runs nearly east and west from the Plaza de Santiago (see Vocab.) to the *Calle de la Zapatería.*

13. **a verlo = a ver si había sitio en la cuadra.**

18. **plaza.** Probably the *Plaza de los Fueros* which is west of the central part of Estella and one block east of the *Plaza de Santiago.* It is surrounded by arcades and is faced on the east by the church of San Juan Bautista.

Page 67. — 15. **con prenderme están al cabo de la calle,** *all they have to do is to arrest me.*

22. **general en jefe.** See note to page 64, lines 12–13.

25. **arcos.** See note to page 66, line 18.

Page 68. — 20. **rey,** i.e., Don Carlos. — **Quiere** governs both the infinitive **entregar** and the subjunctive **entregue.**

28. **para.** See Vocab. under **parar.**

Page 70. — 12. **plaza.** See note to page 66, line 18. — **viesen.** See note to page 62, line 6.

13. **lo hecho por él = lo que él había hecho.**

22. **Que no nos vean juntos,** *We must not be seen together.*

29. **el Cacho.** See page 21, line 11.

Page 71. — 15. **tuviera.** The less vivid future condition is used for politeness' sake.

Page 72. — 16. **con lo que,** *and in this way;* **lo** refers to the act of **levantar el brazo.**

26. **por si Carlos contaba,** *in case Carlos should tell.*

Page 73. — 6. **El Señor,** i.e., Don Carlos. — **reverendos padres.** The priests attached to the shrine of El Puy (see Vocab. under **Puy**).

9. **un rey ridículo.** The characterization is perhaps a little severe, but the fact remains that the amiable and handsome Don Carlos lacked most of the qualities of the soldier and the statesman. A man of distinguished ability might very possibly have brought the Carlist cause through to triumph.

14. **doña Blanca.** It is not clear who Martin supposed this lady to be. Don Carlos' first wife, whom he married in 1867, was Doña Margarita de Este, of the ducal house of Parma. Their daughter, Doña Blanca de Castilla, born in 1868, was at this time a little girl.

18. **Majestad.** To his followers Don Carlos was, of course, His Majesty Charles VII, King of the Spains, etc. The fiction was preserved among them long after the possibility of its realization had passed away.

23. **un fraile castrense.** The Carlists were in general good Catholics and their cause was favored by the Church (see note to page 37, line 4).

Page 75. — 7. **Mira a ver si puedes . . .,** *See if you can . . .*

13. **prudencia,** *be prudent.*

Page 76. — 14. **tenemos.** Present for future.

17. **casa de su cuñado,** i.e., Bautista's lodging.

Page 77. — 15. **para que le traigan aquí,** *to be brought here.*

21. **será por otra cosa por lo que.** See note to page 28, lines 21–22.

Page 78. — 9. **estoy preso. Preso** is the irregular past participle of **prender** used as an adjective. See note to page 56, line 14.

14. **Pues es un consuelo.** This is, of course, ironical.

Page 79. — 11. **¿A dónde dará esto?** *What does this (the window) open upon?* Future of probability or conjecture.

14. **plaza de la fuente.** The *Plaza de San Martín* on the south side of the river Ega at the end of the *Puente del Azucarero.*

Page 80. — 7–8. **lo volvió a poner como antes,** *he put it back as it was before.*

Page 81. — 19. **iba a dar a la guardia,** *he would run into the guard.* The imperfect indicative may be used in either or both clauses (as here) of the condition contrary to fact.

Page 82. — 4. **¿ Quiere usted verlo bien?** *Will you make sure?*

Page 83. — 24–25. **un cristal.** The ordinary landau had five panes of glass; of these four were broken.

Page 84. — 1. **camino de Logroño.** The highway from Estella to Logroño (see Vocab.) crosses the *Puente del Azucarero* and runs southwest, past the *Plaza de San Martín* and the prison, into the open country.

21–22. **de la emoción,** i.e., **de la emoción que sentía.**

27. **que vaya = que yo vaya a verle.**

Page 86. — 23. **al trote lento de los caballos,** *with the horses at a slow trot.*

Page 87. — 4. **Hay esa orden,** *That is the order.*

14. **Estaban entendidos,** *You had an understanding.*

23. **antes = antes de llegar.**

Page 88. — 17–18. **Puy** and **Pilar.** See Vocabulary. The pride of the people in a local shrine or saint is well known.

21–22. **quedó con él de acuerdo en el sitio,** *agreed with him upon a place.*

27. **También.** Here **también** is used to add emphasis to the phrase and hardly has any translatable meaning.

31. **cuidado.** Supply **que.**

Page 89. — 1. **Quién = A quién.**

14. **realistas = carlistas.**

Page 91. — 5–6. **como un galope de caballos,** *a sound like galloping horses.*

25–26. **atendiendo al ruido de las pisadas,** *aiming by the sound of the horses' hoofs.*

Page 92. — 23. **como pisadas.** See note to page 91, lines 5–6.

32. **en el fondo del cielo,** *against the background of the sky.*

Page 94. — 10. **el demandadero dislocado.** Supply **se había** before the participle.

Page 95. — 15. **a Catalina.** Object of **dejara** and subject of **estar.**

24. **piropos de los clásicos,** *time-honored compliments.* The Andalusian has an ancient reputation for pretty speeches to women.

25. ***loz ojoz*** = **los ojos.** — ***doz luceroz*** = **dos luceros.** Some Andalusians pronounce the **s** like **z.** Cf. ***Conzolación,*** page 96, line 1, ***zi*** (= **si**), ***callaz*** (= **callas**), page 96, line 5, etc.

Page 96. — 1. **Virgen de Conzolación de Utrera.** One of the many images of the Virgin that abound in Spain. As a rule these Virgins are the patronesses of their towns, and the inhabitants are very proud of their particular Virgin.

5. **A ver *zi* te *callaz,*** *You keep quiet.*

7–8. ***clavá*** = **clavar.** Another peculiarity of the Andalusian dialect is to drop final **r.** — **a un *zapo.*** Object of **se clava** understood.

15. **las suyas** = **las que hacen ellos.**

28. **general.** General Domingo Moriones.

Page 97. — 7. **Briones.** See page 58.

8. **conocerá.** Future of probability, *you must know **him.***

13. **estaba** = **estaba allí.**

Page 98. — 16. **era** = **sería** or **fuera.**

18. **Una semana después.** Several pages are omitted here. Martin suffers a collapse due to the effects of his wound and spends a week convalescing at the house of a friend. He is unable to learn the whereabouts of Catalina and Bautista.

19. **calle principal.** Probably the *Calle del Mercado,* a wide and beautiful street running east and west through the center of Logroño. It is lined with arcades and contains the most important business houses of the city.

21. **¿ Pero dónde estás ?** *Where are you keeping yourself ?*

Page 100. — 2. **encontrándose en otro lado,** *if she were anywhere else.*

32. **¿ Pero y los centinelas ?** *But what about the sentinels?*

Page 101. — 1. **No suelen haber muchas veces.** Supply **los** before **suelen** and translate, *Often there aren't any.* Strictly, **suelen** should be singular, as it is impersonal. The error is a common one.

28. **por debajo de la pierna.** A familiar expression taken from a manner of playing ball, in which the ball must be hit only from under the leg. Equivalent to the English expression " with one hand tied behind me."

Page 102. — 4. **Salga usted.** Lieutenant Ramírez is inviting Martin to step outside and fight it out.

30–31. **una, borrachos = una, estando borrachos.**

Page 103. — 10–11. **cementerio.** The cemetery is outside the city walls near the Logroño road. — **paseo con árboles.** A beautiful *paseo* set with trees nearly surrounds the city of Laguardia outside the walls.

Page 104. — 1. **pasará.** See note to page 97, line 8.

29. **descendió.** See note to page 3, line 11.

Page 106. — 14. **abandonaron Laguardia.** This was at the end of January, 1874.

Page 110. — 12. **en que = hora en que,** *at which time.*

25. **Al año de casada,** *A year after her marriage.*

Page 111. — 1. **la proclamación de la monarquía.** Alfonso XII was proclaimed king in Sagunto, December 29, 1874 and entered Madrid as sovereign January 14, 1875. The Republic had lasted a little less than two years.

4. **en presencia del nuevo rey.** Alfonso set out for the northern provinces, and the scene of the war five days after assuming the crown. He was present at the battle of Lácar.

6. **iba de capa caída.** See Vocab. under **capa.** The government, after the accession of Alfonso XII, prosecuted the war

against the Carlists with vigor and success and on February 27, 1876, Don Carlos abandoned Spain.

7. **un general audaz.** General Arsenio Martínez de Campos who had proclaimed Alfonso king in Sagunto, December 29, 1874 and later commanded the Liberal army in Catalonia. His occupation of the valley of the Baztán, January 31, 1876, was regarded as a triumph of audacity and skill.

18. **cae.** The present indicative may be used for greater vividness in either or both clauses of the condition contrary to fact.

22–23. **en relación con una casa de Bayona.** The two young men were acting as selling agents for this French house, smuggling their goods across the border.

Page 114. — 16. **de allá = de Urbia.**

Page 115. — 10. **Que no te pase algo al final,** *Don't let something happen to you in the end.*

Page 116. — 21. **avanza.** Present used with future meaning.

22. **en estos años,** *in the next few years.*

27. **eran los obstáculos los que . . .,** *it was the obstacles which . . .*

Page 117. — 2. **Que,** *If.*

19. **La mayoría somos,** *The majority of us are . . .*

23 - 26. **Sabe usted.** Martin here, as also in lines 9 ff., expresses more or less accurately the ideas of the author himself.

Page 118. — 2. **preparasen.** Supply **que** before the verb.

Page 119. — 17. **La acción.** The battle of Peñaplata was fought February 18, 1876. It opened the way for the march of the Liberal army to Vera and was of importance in bringing the war to a speedy close.

Page 120. — 21. **un riachuelo** i.e., the upper Nive.

Page 122. — 10–11. **el extranjero.** This is the same foreigner (a newspaper correspondent) mentioned on page 50. He appears and disappears and turns up again, apparently for no fixed reasons, but in accordance with Baroja's technique of having his characters meet, as men do in real life, by mere chance.

Page 123. — 24. **cuerno de Rolando.** A miraculous horn of ivory given by Charlemagne to Roland (see Vocab. under **Rolando**), with which he was to summon aid in case of need. Roland blew the horn at the battle of Roncesvalles (French. *Roncevaux*), but the emperor's assistance arrived too late.

Page 124. — 12. **el americano.** Capistun, although a Gascon by birth, was nicknamed " el Americano " because he had lived for some time in America. The term used to describe Spaniards who have returned to Spain after living in America is **indiano;** but now **americano** is more frequently used in this sense, especially in the north of Spain.

VOCABULARY

A

a to, at, from, of, in, by, on; **¡ — mí!** help!
abad *m.* abbot
abajo down, downstairs; **¡ — todo el mundo!** everybody get down; *see* **arriba**
abalanzarse rush, throw oneself
abandonar abandon, leave, neglect, desert
abandono *m.* abandonment, solitude
abanico *m.* fan
abarca *f.* brogan, rough leather sandal
abarcar embrace, include
abertura *f.* opening
abierto, –a *p. p. of* **abrir** opened, open; **—as en abanico** spread out like a fan
abnegación *f.* abnegation
abrazadera *f.* band, ring; sling
abrazar embrace
abril *m.* April
abrir open; **— el apetito** whet the appetite; **—se** open
abrochar button
absoluto, –a absolute, complete
absorbente absorbent
absorción *f.* absorption
absorto, –a absorbed, thoughtful(ly)
abstinencia *f.* abstinence
abstraer abstract, draw from
abstruso, –a abstruse
absurdo, –a absurd; *n. m.* absurdity
abulia *f.* lack of will
abundante abundant
abusar abuse; **— de** take advantage of
acabar finish, end, come to an end; disappear; **— con** make an end of, destroy
acampar camp, be encamped
acariciar caress, stroke
acaso perhaps; **por si —,** in case, in that case, lest something happen, not to take any chances
acceder accede, consent
acción *f.* action, effect, battle
acechanza *f.* ambush
aceite *m.* oil
acentuar increase, accentuate
aceptar accept, receive; admit
acera *f.* walk, sidewalk
acerca de concerning, about
acercar approach; **—se** draw near, approach
aclarar grow light
acogotar kill (*by a blow on back of neck*)
acometer attack
acompañante *m. & f.* companion, associate
acompañar accompany, stay *or* go with

aconsejar advise
acontecimiento *m.* event, happening
acordar agree; **—se (de)** remember; **lo acordado** that which had been agreed upon
acordeón *m.* accordion
acortar lessen, reduce
acostado, –a in bed, gone to bed
acostarse go to bed, lie down
acostumbrado, –a accustomed, wont
actitud *f.* attitude
actividad *f.* activity
activo, –a active
acto *m.* act, deed
actual present
actualmente at the present moment, just now
actuar operate, function
acudir come
acuerdo *m.* agreement; **quedar de — en** agree upon
acusado, –a strongly marked, salient
adaptar adapt
adelantar advance, make progress
adelante forward; come in! *see* **seguir**
además moreover, besides; **— de** besides
adentro within; **más —,** farther in
adiós good-bye
adivinar guess at, conjecture, divine; catch a glimpse of
adjudicar adjudge; furnish, give; administer
administración *f.* office, establishment
admirablemente admirably, excellently
adonde, adónde where
adornar adorn, deck
adquirir acquire; **— el convencimiento** become convinced
adquisición *f.* acquisition
aduana *f.* custom house
aducir adduce, bring up
adversario *m.* adversary, enemy
adverso, –a adverse, hostile
advertencia *f.* warning, counsel
advertir remark, inform, advise, tell
aéreo, –a airy, graceful, fantastic
afectación *f.* affectation
afecto *m.* affection, regard
afectuoso, –a affectionate(ly)
afeitar shave
afinar polish, make exact; **— la puntería** take accurate aim
afirmación *f.* affirmation, assertion
afirmar declare, assert
afirmativamente affirmatively, in assent
afligido, –a distressed, in distress
afortunadamente fortunately, luckily
afuera outside, without
agarrar grasp, seize; **—se** clinch, grapple; **—se a** seize, grasp
agazaparse stoop over, hide, crouch
agenciarse get for oneself, acquire "by hook or crook"

agitación *f.* agitation, flurry, excitement
agonía *f.* agony, pangs of death; **Cuesta de la —,** *mountain range between Vera and Oyarzun close to the line between Navarre and Guipúzcoa*
agotamiento *m.* exhaustion
agradable pleasant, agreeable
agradecido, -a grateful, appreciative
agrio, -a bitter, harsh
agua *f.* water
aguantar endure
aguardar wait, await
aguardiente *m.* brandy, whiskey
agudeza *f.* keenness
agudísimo, -a very sharp
agudo, -a sharp, shrill
Águeda Agatha
agujero *m.* hole, hollow; cranny, gap; pool
ahí there, over there; **de —,** thence (comes)
ahogadamente chokingly, in a choked voice
ahogarse choke
ahondar probe
ahora now, at present; **por —** **(no)** (not) for the present; **— mismo** this instant, right now
aire *m.* air; aspect, appearance
ajeno, -a others', of other people; **— a** foreign to, unconnected with
al = a + el to (at, on) the; **— +** *infin.* on, upon
alarmar alarm, frighten
alborotar make a disturbance *or* noise
alcachofa *f.* artichoke
alcaide *m.* jailer
alcalde *m.* mayor, (chief) magistrate
alcaloide *m.* alkaloid, base
alcance *m.* reach
alcanzar overtake, catch up with, reach
alcoba *f.* bedroom, alcove
Alcoy *city of 32,053 inhabitants (1920) in southeastern Spain, in the province of Alicante; supposed to have been founded by the Carthaginians in 236 B.C.*
aldabonazo *m.* knock, rap (*with a knocker*)
aldea *f.* village
aldeano,- a rustic; *n. m. & f.* villager
alegrarse be glad
alegre happy, cheerful, merry
alegremente happily, merrily
alegría *f.* happiness
alejar drive away, drive from; **—se** go away, move off
aleluya *f.* hallelujah (*a song of praise*)
Alemán, Mateo (1547–1614?) *author of the picaresque novel "Guzmán de Alfarache"*
aletargado, -a stunned
algo something, anything; somewhat, a while
alguien someone
algún some, any, an occasional
alguno, -a some (one), any (one); **—s** some, a few; **—a vez** sometimes, once
alhaja *f.* jewel
aliento *m.* breath, courage; **dar —s** encourage

alijo *m.* shipment (*of smuggled goods*)
alimentar feed, support
alma *f.* soul; **con el — en un hilo** with his heart in his mouth
almanaque *m.* almanac
alojamiento *m.* lodging
alojarse take up lodgings, lodge, live
alpargatero *m.* sandal-maker *or* sandal-vender
alquilar hire
alrededor (**de**) around, about; **—es** *m. pl.* environs; **a su —,** about him
alteración *f.* change
alternar alternate
altísimo, –a very high
alto, –a high, upper, tall, loud; **lo —,** the top; *n. m.* peak, high ground, mountain pass, summit; halt; **hacer —,** make a halt, stop; **¡ — !** halt!
altura *f.* height
aludido, –a the one mentioned, the aforesaid
alumbrar light, illuminate, hold the light
alvéolo *m.* socket
Alzate *a district of the municipality of Vera* (*q.v.*)
allá there
allí there; **por —,** there, around there
amable amiable, kindly
amablemente amiably, affably
amanecer dawn; *see* **ir; amanecía** dawn was breaking; *n. m.* dawn
amansado, –a softened, (more) gentle
amar love
amargo, –a bitter, cynical
amarillento, –a yellowish
amarra *f.* cable, hawser
amartelarse (**con**) pay court to
Amaviturrieta *name of a cave near Urbia*
ambición *f.* ambition
ambicionar covet, aspire to
ambiente *m.* atmosphere, environment
ambos, –as both
amedrentado, –a frightened, timid(ly)
amenazador, –ora threatening
amenguar diminish, fall off
americano, –a American (*Spanish emigrant who has returned from America*)
amigo, –a friendly; *n. m. & f.* friend
aminorar reduce, decrease; **— la marcha** slow down
amistad *f.* friendship
amistosamente amicably
amo *m.* master
amor *m.* love; **— propio** self-esteem, pride
amoscarse get angry
amplio, –a ample, large
Ana Ann, Anna
analizar analyze
anárquico, –a anarchistic, individualistic
anarquista anarchistic, individualistic
anciano *m.* old man
ancho, –a wide, broad
Anchusa *pr. n.*
andadas: volver a las —, go back to one's former ways *or* practices

andaluz *m.* Andalusian
andanza *f.* event, adventure; fortune; rambling, wandering
andar *m.* gait, walk; **—es** gait
andar walk, go, be; **¡ anda !** come! go on! **— por** be; **vamos andando** let's be off; **andando el tiempo** as time goes by
andariego, –a restless, of a roving disposition
Andoain *town of* 1,553 *inhabitants in the northeastern part of the province of Guipúzcoa*
andrajoso, –a ragged; *n. m.* ragamuffin
anguarina *f.* loose coat
ángulo *m.* angle, corner
angustia *f.* anguish, torture, torment; **con —s de muerte** in the keenest anxiety
anhelo *m.* longing
anillo *m.* ring, loop
animar encourage, animate; **—se** cheer up, brighten
ánimo *m.* mind, courage, intention
aniquilamiento *m.* annihilation
anochecer grow dark, become night; *n. m.* nightfall
anormal abnormal
anotar note (down), record
ansí *see* **así**
ante before
anteojos *m. pl.* spectacles, glasses
antepasado, –a ancestor
anterior former; **la noche —,** the night before
antes before; **— de** before, before coming to; **— lo matarían** they might kill him first
antiguamente formerly
antigüedad *f.* antiquity
antiguo, –a old, ancient, former
antitético, a antithetical, opposite
antojarse (*used only in 3rd person*) desire, think; **a ella se le antojaban extravagancias** she thought them follies
antorcha *f.* torch
anunciar announce, foretell
añadir add, continue
año *m.* year; **antes del —,** before the end of the year; **en estos —s** in years to come
Añoa (French *Ainhoa*) *a very small Basque village in southern France, close to the Spanish frontier*
apagado, –a subdued, extinguished; faint
aparecer appear
aparejo *m.* tackle
aparentar feign, pretend
aparente apparent
aparte apart, by itself; **— de** aside from
apasionado, –a passionate, devoted
apelación *f.* appeal
apenas hardly, scarcely
apetito *m.* appetite
ápice *m.* jot, least bit
aplastar flatten, crush
aplaudir applaud
aplicarse apply
aplomo *m.* self-possession, self-reliance
apocado, –a poor-spirited, timid

apoderarse (de) seize, take possession of
apodo *m.* nickname
apolillado, –a worm-eaten
apostar bet, wager
apoyar rest, support; **—se** rest, lean
aprender learn
apretado, –a clenched
aprieto *m.* predicament, " fix "
aprovechar employ usefully; **— en algo bueno** devote to some good purpose; **—se** take advantage, profit (by)
apuntar aim
apurado, –a in trouble, distressed, hard-pressed
aquel, –lla, –llos, –llas that, those
aquél, –lla, –llos, –llas that (one), he, she, the former, those; **aquello** that
Aquelarre *a mountain on the frontier between France and Navarre near the village of Zugarramundi. The mountain takes its name, which in Basque means " he-goat meadow," from a legend according to which it was a meeting place for witches mounted upon he-goats*
aquí here; **— nos tienes** here we are; **por —**, around here, this way
árabe *m.* Arab
aragonés, –esa Aragonese
arbitrario, –a arbitrary, willful
árbol *m.* tree
arbusto *m.* bush, shrub
Arcale *name of the tavern-keeper of Urbia*
arcilla *f.* clay
arco *m.* arch, arcade; *see note to page* 67, *line* 25
Arcos, Los (*or* **Losarcos**) *a town in Navarre situated to the southwest of Estella on the road to Logroño*
Archipi *pr. n.*
archivo *m.* archive
ardientemente ardently
arengar harangue
arenisco, –a sandstone; **piedra —a** sandstone
Arichulegui *name of a mountain*
aristócrata *m. & f.* aristocrat
aristocrático, –a aristocratic
Arlequín Harlequin
arma *f.* weapon, arm
Armagnac *a brandy manufactured in the region of France corresponding to the ancient province of Armagnac (a part of Gascony)*
armar set up, string (*a crossbow*), arm
armónico, –a harmonious
Arneguy (French *Arnéguy*) *a small French village on the border between France and Navarre*
aro *m.* hoop
arqueado, –a hooked (*of the nose*)
arqueológico, –a archeological
arraigar put forth roots; settle down
arrancar pull *or* tear out, remove; descend
arrastrar drag
¡ arrayua ! (*Basque interjection*) thunder! good for you!
arreciar increase, grow stronger

arreglar put in order, arrange, mend
arrestar arrest
arriba up, upward; **de — abajo** from top to bottom
arrimar lean, place (against); **—se** lean against; get behind, stay close to; go up to
arrinconado, –a in (*or* near) the corner (*in the game of pelota*)
Arrizuri *see* **Peñaplata**
arrodillarse kneel
arrogante arrogant, haughty
arroyo *m.* brook, stream, gutter
arrugado, –a wrinkled
arruinarse be lost *or* ruined
arte *m.* & *f.* art
artículo *m.* article
artífice *m.* artificer
artificio *m.* artifice, craftsmanship
artillería *f.* artillery
artístico, –a artistic
Asa *village between Logroño and Laguardia*
asado *m.* roast
ascender raise, promote, amount
ascendiente *m.* ascendency, authority
ascenso, *m.* promotion, advancement
asegurado, –a safe, assured
asegurar declare, assert, assure, tell; provide for
asentarse rest, be located; take one's stand
asesinato *m.* murder, assassination
asesino *m.* murderer, assassin
así so, thus, like this, that way; **¡ — !** that's right!; **— que** so that; **— es como** that is how
asiento *m.* seat, rest
asistente *m.* orderly
asistir (a) be present (at)
asomar appear, show; **— la cabeza** raise the head (*above or through something*); **—se (a)** look out (of), look in, appear; **asomado a una ventana** looking out of a window
asombrado, –a astonished, frightened
asombro *m.* astonishment, dread
aspeado, –a (*or* **aspado, –a**) foot-sore, worn out
aspecto *m.* aspect, appearance
aspiración *f.* aspiration
aspirar aspire
astilla *f.* splinter, chip
astuto, –a astute
asunto *m.* affair, matter, business
asustadísimo, –a terrified
asustadizo, –a timid
asustar frighten
atacar attack, quarrel with
atalaya *f.* watchtower
atar tie, bind
Atenas Athens
atención *f.* attention, courtesy; *see* **prestar; ¡ — !** look out, be alert
atender give heed (to), pay attention (to); care for, take care of; **— a que** consider whether
atentado *m.* attack, attempt (*at a crime*)

atento, –a courteous, urbane
atestado, –a full, crowded
atiborrado, –a stuffed, packed full
atomismo *m.* atomism, disintegration
atónito, –a astonished
atracción *f.* attraction
atraer attract
atrás behind, back, backward; **parte de —,** back part; **hacia —,** back
atravesar pass through, traverse, pierce, cross; **— de parte a parte** run through the body
atreverse (a) dare, venture
atrevido, –a bold, daring
atrevimiento *m.* boldness, daring
atrincherado, –a intrenched, fortified
audacia *f.* audacity, boldness
audaz bold, audacious
aumentar increase
aun (aún) yet, still, even; **— no** not yet
aunque although
aurora *f.* dawn
ausencia *f.* absence
auto-crítica *f.* self-criticism
autor *m.* author
auxilio *m.* aid, help; **llamar en su —,** call to her aid
avanzada *f.* outpost
avanzar advance, rise
avaricia *f.* greed
avenirse consent, agree
aventura *f.* adventure; **— de guerra** martial adventure
aventurado, –a reckless; fortunate
aventurero, –a adventurous; *n. m. & f.* adventurer
avería *f.* damage, injury
averiguar ascertain, find out
avisar give word (of), warn, notify
aviso *m.* warning, information
avivarse be rekindled, flame up (again)
¡ ay ! oh! alas!
ayer yesterday
ayuda *f.* help, aid, assistance
ayudante *m.* orderly, adjutant, aide-de-camp
ayudar help, aid, assist
ayuntamiento *m.* municipal government
azí = **así**
Azorín *pseudonym of José Martínez Ruiz (b. 1874), a distinguished contemporary essayist and critic*
azotar lash, beat upon
Azpeitia *town of 2,288 inhabitants in the center of the province of Guipúzcoa*
Azqueta *small hamlet in western Navarre on the road between Estella and Logroño*
Azucarero: Puente del —, *bridge in the center of the city of Estella uniting the two parts of the city, which is built on both banks of the Ega*
azucena *f.* lily
azul blue

B

babia: estar como en —, be thunderstruck
bagaje *m.* baggage, load

bailar dance
bajar go down, descend; flow down; hang (down); bring down, get down, come down, lower; dismount
bajito, -a short
bajo, -a low; gentle, easy; short; **clase —a** lower class
bajo under
bala *f.* bullet, ball
balbucear stammer
balcón *m.* balcony
Balzac, Honoré de (1799–1850) *a great French novelist, the leader of the realistic movement*
ballesta *f.* crossbow
banco *m.* bench
bandera *f.* flag; **— de parlamento** flag of truce
banquete *m.* banquet
banquillo *m.* low bench
bañar bathe, wash
barba *f.* beard
barbaridad *f.* barbarity, wild *or* extraordinary deed, outlandish thing; **¡ qué —!** outrageous!
barbarie *f.* barbarity
bárbaro, -a barbarous, barbaric; rough, bold; *n. m.* barbarian
barbilla *f.* chin
barbudo, -a bearded
barco *m.* boat
barojiano, -a Barojian, of Baroja
barranco *m.* gorge, narrow valley
barril *m.* keg, barrel
barrio *m.* quarter, part (*of a town*), ward
barrizal *m.* mud-hole
barro *m.* clay, mud
barrote *m.* bar
basar base
bastante enough, quite; **lo —,** enough, sufficiently
bastar be enough, suffice; **basta de bromas** no more jokes
batacazo *m.* upset, overturn
batalla *f.* battle
batallón *m.* battalion
batería *f.* battery; **— de cocina** kitchen utensils
batirse fight
baúl *m.* trunk
Bautista Baptist
Bayona (French *Bayonne*) *capital of the province of the Basses Pyrénées in southwestern France* (27,866 *inhabitants*); *it was at Bayonne that Charles IV and Ferdinand VII abdicated in* 1808 *in favor of Joseph Bonaparte who was here proclaimed king of Spain*
bayoneta *f.* bayonet
bayonetazo *m.* bayonet-thrust
Baztán, El *name of a picturesque valley in the northern part of the province of Navarre through which flows the river Bidasoa, one of whose affluents is called El Baztán*
Bearn (French *Béarn*) *ancient French province now forming part of the departments of the Basses Pyrénées and Landes in southwestern France*
bebedor *m.* drinker

beber drink; *n. m.* drinking
bebida *f.* drink, drinking
Bécquer, Gustavo Adolfo Domínguez (1836–1870) *Spanish lyric poet of great talent not fully realized because of his early death*
Belcha *pr. n.*
beltz (*Basque*) black; *see* ***Ocin beltz***
belleza *f.* beauty
benevolencia *f.* benevolence, favor
Benito *pr. n.*
Berdan *m. a rifle of the caliber of* 11 *millimeters invented by an American, General Hiram Berdan; it was the service weapon of the Russian army from* 1871 *to* 1892 *and was used to some extent by other European armies, including the Spanish*
besar kiss
beso *m.* kiss
Bidasoa *river of Navarre and Guipúzcoa, important from a military and historical point of view because it serves as a boundary in one place between Spain and France*
bien well, correct, (all) right; **¡ — !** good! fine! **¡ muy — !** fine! splendid! all right!; **está —**, all right; **más —**, rather
bigote *m.* moustache
Biriatu (French *Biriatou*) *a small village in southwestern France* (*Basses Pyrénées*) *on the French side of the river Bidasoa, which here constitutes the Spanish-French frontier, and a few miles north of Lesaca*
Blanca Blanche; *See note to page* 73, *line* 14
blanco, -a white; **—s y negros** *see note to page* 19, *line* 14
blancura *f.* whiteness
blanquear whiten, silver
Blasco Ibáñez, Vicente *a Spanish realistic novelist* (*b.* 1867); *his early work consists of regional novels of power and sincerity. His war novel, "Los cuatro jinetes del Apocalipsis" (The Four Horsemen of the Apocalypse) gained a world-wide celebrity not based entirely on artistic excellence*
blasón *m.* coat of arms
boca *f.* mouth; **en la — del horno** before the oven; **a — de jarro** at point-blank range
bocanada *f.* gust, squall
bocina *f.* bugle, horn
boda *f.* wedding
bofetada *f.* blow, slap
boina *f.* flat cap
bolsillo *m.* purse, pocket, sack
bombardeo *m.* bombardment
bonito, -a pretty
boquete *m.* gap, hole
Borbón (French *Bourbon*) *the Bourbon dynasty in France begins with Henri IV, called "le Béarnais" from Béarn, where he was born* (1553), *and ends with Charles X in* 1836; *the Spanish Bourbons began to rule with Felipe V* (1714) *and the family con-*

tinues to be the reigning one; see **Pretendiente**
borda *f.* hut, cabin; gunwale; **echar por la —,** throw overboard
bordar embroider, work embroidery
borde *m.* edge
bordear skirt
borla *f.* tassel
borrachera *f.* drunkenness, debauch
borracho, –a drunk; *n. m.* drunkard
bosque *m.* wood, forest
bosquecillo *m.* little wood, thicket
bota *f.* boot
botella *f.* bottle
botín *m.* booty, spoils
botón *m.* button
brasero *m.* brasier
braza *f.* fathom (*six feet*)
brazada *f.* armful
brazo *m.* arm
breñal *m.* bramble-thicket
breve short, brief
brillante bright, shining
brillar shine
brindarse offer, promise, agree
brío *m.* spirit, vigor
Briones *pr. n.*
broma *f.* joke, jest
bromear jest, joke
brotar spring
bruja *f.* witch
bruscamente brusquely, abruptly
brutal brutal, rude, churlish
brutalidad *f.* brutality
brutalmente brutally
buen good
bueno, –a good, well; **¡ — !** all right! enough!
Buenos Aires *capital of the Argentine Republic* (1,300,000 *inhabitants*)
bulto *m.* shape, mass
Burdeos Bordeaux (*a city of southwestern France, department of La Gironde,* 261,678 *inhabitants*); **galleta de —,** hardtack
Burguete *a village of* 435 *inhabitants in northern Navarre, near the French border, just south of Roncesvalles*
burlón, –ona mocking
burlonamente mockingly, jokingly
busca *f.* search, seeking
buscar seek, hunt (for), find

C

¡ ca ! pshaw!
caballería *f.* mount, horse, pack-animal; **en —,** on horseback
caballero *m.* knight, gentleman
caballo *m.* horse; **(andar) a —,** (ride) horseback
cabaña *f.* cabin
cabecilla *m.* chieftain, leader
caber be contained (in), be room for; **en el (sentido) más opuesto que cabe** in the most opposite sense possible
cabestrillo *m.* sling
cabeza *f.* head
cabezada *f.* head-stall (*of a bridle*)
cabo *m.* end; **al — de** at the end of, after; **al — de la calle**

finished, all through; *see note to page* 67, *line* 15; **llevar a —,** carry through, carry out
cabrío, -a of *or* pertaining to a goat; *see* **macho**
cacerola *f.* stewpan, saucepan
cacharro *m.* earthenware pot
cachivaches *m. pl.* odds and ends, sundries
Cacho = **Gacho**
cada each, every; **— cual** everyone, each one
cadáver *m.* corpse
cadena *f.* chain
caer fall
caja *f.* box; body (*of a wagon*); case, caisson; coffin
cajón *m.* case, box
calabaza *f.* gourd
calafatear calk (*a ship*); reinforce
calamidad *f.* calamity, disgrace
calaverada *f.* escapade, wild prank
calcetín *m.* sock
caldero *m.* kettle
calentador *m.* warming-pan
calentar heat, warm; **— las costillas** thrash, beat
calidad *f.* quality
calor *m.* heat, warmth
calvera *f.* open space, bare spot
calzar wear (*on the feet*)
callar be silent, keep still; **—se** fall silent, cease speaking
cállaz = **callas**
calle *f.* street
calleja *f.* lane, narrow street
cama *f.* bed
camastro *m.* bunk, camp bed
cambiar change, exchange
cambio *m.* change; **en —,** on the other hand
camilla *f.* litter
caminata *f.* jaunt, walk, journey
camino *m.* road, way, highway; **— de** on the way to, toward
camisa *f.* shirt
campamento *m.* camp
campana *f.* bell; hood (*of a fireplace*)
campanario *m.* belltower
campanilla *f.* bell
campear stand out, appear
campesino, -a rural; *n. m.* peasant, countryman
campo *m.* country, camp, field; **— santo** graveyard, cemetery
canalla *f.* rabble; **¡ — !** cur! scoundrel!
canción *f.* song, ballad
candoroso, -a ingenuous, naïve
canoso, -a gray(haired)
cansado, -a tired, weary
cansancio *m.* weariness
cansar tire, weary
Cantabria: cordillera de —, *a mountain range in the province of Álava, extending parallel to the Pyrenees from the frontiers of the provinces of Logroño and Burgos to the source of the river Ega*
cantar sing
cantarilla *f.* small jug *or* pitcher, water bottle
cantidad *f.* amount, quantity
cantinero *m.* sutler
canto *m.* song
cantor *m.* singer
cañón *m.* barrel (*of a gun*)· **escopeta de dos —es** double-barrelled gun

cañonear cannonade
caótico, –a chaotic, confused
capa *f.* cloak, layer; **ir de — caída** go badly, go "down hill"
capataz *m.* overseer, leader, head
capaz capable, competent; inclined
capellanía *f.* chaplaincy, living (*for a clergyman*), benefice, endowment for a chaplaincy
capilla *f.* chapel
Capistun *pr. n.*
capitán *m.* captain
capitanear captain, lead
capítulo *m.* chapter
capote *m.* cloak, overcoat
capuchón *m.* cloak
capullo *m.* bud
cara *f.* face
carabinero *m.* customs guard, carabineer
carácter *m.* (strong) character, firmness; consequence; quality, nature
caracterizar characterize
¡ caramba ! *harmless interjection of surprise* hah!
carca *m.* Carlist (*slang*)
cárcel *f.* prison, imprisonment
carcelero *m.* jailer
carecer lack, want
carga *f.* load, freight
cargado, –a laden, loaded
cargar load
cargo *m.* charge, post, position
cariño *m.* affection, love
cariñoso, –a affectionate
carita *dim. of* **cara** *f.* (little) face
carlismo *m.* Carlism; *see note to page* 12, *line* 1
carlista *m.* Carlist (*one belonging to the party of Don Carlos de Borbón*); *see note to page* 36, *line* 24
Carlos Charles; **— VII** *see* **Pretendiente**
carne *f.* flesh, meat; **— muerta** carrion
carnero *m.* sheep
caro, –a dear, expensive; *adv.* dearly
carrasca *f.* holm oak
carraspear clear the throat (*the noun* **carraspera** *is a colloquial expression for* "*frog-in-the-throat*")
carrera *f.* high-road; race; career; **a la —,** swiftly; **tomar una — vertiginosa** start off at a dizzy speed
carreta *f.* cart, wagon
carretera *f.* wagon-road, road, highway
carricoche *m.* wagonette
carro *m.* cart, wagon
carromato *m.* two-wheeled cart
carruaje *m.* carriage
carta *f.* letter, letter-of-credit, card
cartelón *m.* sign, poster, bill
cartuchera *f.* cartridge box
cartucho *m.* cartridge; **— con bala** ball cartridge
casa *f.* house; **a (su) —,** home; **en —,** at home; **en (de) — de Arcale** at (from) Arcale's; **en — del notario** in care of the notary
casado, –a married; *n. m. & f.* married man *or* woman; *see* **recién**

casamiento *m.* marriage
casarón *m.* large house
casarse marry
caserío *m.* isolated farm house *or* small group of houses; hamlet
casi almost
caso *m.* case; **se creyó en el —,** he thought it incumbent upon him; **en último —,** as a last resort; **hacer —,** pay attention
casta *f.* race; *see note to page* 18, *line* 7
castellano, -a Castilian, Spanish
Castilla Castile
castrense militant, attached to *or* connected with an army
casualidad *f.* chance
casucha *f.* shanty
Catalina Katherine
Catalin̄ *Basque dim. of* **Catalina**
Cataluña *a region comprising the provinces of Barcelona, Tarragona, Lérida and Gerona in northeastern Spain, formerly a principality; it is industrially the most important region of the peninsula; its chief city is Barcelona whose population is* 710,335 (1920)
catástrofe *m.* catastrophe
categoría *f.* category, class; distinction
catorce fourteen
causa *f.* cause; **a — de** because of, on account of
causar cause
cautelosamente cautiously
caverna *f.* cavern, cave
caza *f.* hunting, game; **ir de —,** go hunting
cazar hunt, kill, catch
cebado, -a fed
ceder yield, give in
cegado, -a blind with rage
ceja *f.* brow
cejar yield, give in
celebrar celebrate; hold; give; **—se** take place
cementerio *m.* cemetery
cena *f.* supper
cenar eat supper
centellear sparkle, gleam
centinela *m.* sentinel
céntrico, -a central
centrífugo, -a centrifugal
centrípeto, -a centripetal
centro *m.* center
ceñir gird (on), put on
ceño *m.* frown; **con mal —,** with an evil look
cerca near, close at hand; **— de** near, nearly; **por — de** near; **— de las doce** shortly before twelve
cercano, -a near
cercar fence (off), enclose
cerdo *m.* pig
cerebral *m.* intellectual (person)
cerrar close, shut, impede, lock; **— contra** attack, close in upon; **descarga cerrada** close volley
cerril rude, rough
cerrojo *m.* bolt
cesar stop, cease
cesta *f.* basket, racquet (*for playing pelota*)
cestito *dim. of* **cesta** *m.* small basket

cesto *m.* thong
cicatriz *f.* scar
ciego, –a blind
Ciego, El *a town of* 1560 *inhabitants in the province of Álava on the river Ebro, south of Laguardia*
cielo *m.* heaven, sky
cien hundred
ciencia *f.* science, knowledge
científico, –a scientific
ciento hundred; **por —,** per cent
ciertamente certainly
cierto, –a certain, a certain, true
cigarro *m.* cigar, cigarette; **— puro** cigar
cima *f.* summit, top
cinco five
cincuenta fifty; **de unos — años** about fifty years old
cinematográfico, –a cinematographic
cínico, –a cynical
cinismo *m.* cynicism
cinta *f.* ribbon
cintura *f.* waist, belt
circundar surround
cirio *m.* candle
ciruela *f.* plum
citar cite; **—se** make an appointment, arrange a meeting
ciudad *f.* city
ciudadano, –a citizen, dweller in a city; individual
ciudadela *f.* citadel, fortress
civil civil; *see* **guardia**
civilización *f.* civilization
claramente clearly, plainly, frankly
clarear grow lighter
clarín *m.* trumpet
claro, –a clear, bright, light, straightforward; of course; **— que** of course
clase *f.* kind, sort, class; **toda —,** all kinds
clasificación *f.* class, classification
clasificar classify
clavá = **clavar**
clavar nail, run through (*i.e., with bayonet or sword*)
clavo *m.* nail
clero *m.* clergy
cobarde *m.* coward
cobertizo *m.* lean-to, shelter
cobrar take, collect; (*of emotions*) feel; succeed (*in getting money*)
cobre *m.* copper
cocina *f.* kitchen
coche *m.* coach, carriage, cab
cochero *m.* coachman, stage-driver
cochino *m.* pig
codazo *m.* nudge
coger take, steal, get, catch, pick (up), grasp, seize, occupy
cohibir inhibit
coincidencia *f.* coincidence, resemblance
cojo, –a lame
cola *f.* tail
colectivo, –a collective
colegio *m.* college, school
cólera *f.* anger
colérico, –a choleric, irascible
colgado, –a hanging, hung
colgante hanging; *n. m.* trinket, pendant
colgar hang

colocar place
color *m.* color; **de —,** (highly) colored
columna *f.* column, body of troops; **— de ejército** column of troops
comandante *m.* commander (*rank equivalent to major*)
comarca *f.* district, region
combate *m.* battle, combat
comedia *f.* comedy
comedor *m.* dining room
comentario *m.* commentary
comenzar begin, commence
comer eat, dine; **de —,** something to eat; **dar de —,** feed
comerciante *m.* merchant, business man
comercio *m.* business, commerce
comida *f.* dinner, meal
comienzo *m.* beginning, outset
comilona *f.* heavy meal, gluttony
comité *m.* committee
comitiva *f.* procession
como like, as, since, something like; **— que** as if; **— un** a sort of
¿ cómo ? how?; **¿ — que ?** how? what do you mean? **no sé — es** I don't know what she is like; **¿ — tienes la herida?** what sort of wound have you? where are you wounded?
cómodo, –a comfortable, convenient
compañero *m.* companion, partner
compañía *f.* company
comparar compare
compartir share
compasivo, –a compassionate
compendio *m.* compendium, epitome
complacerse find (*or* take) pleasure
complejo, –a complex
completamente completely, entirely
completo, –a complete, perfect; **por —,** completely, entirely
componer compose, make up, mend
comprar buy
comprender understand, realize
comprensión *f.* comprehension, understanding
comprobar confirm, ascertain definitely
comprometer compromise; **—se** pledge oneself, give one's word
compromiso *m.* pledge, compromise
común common; **de —,** in common
comunicativo, –a communicative, talkative
comunidad *f.* community, sharing
con with, possessed of; **— que** so then
concentración *f.* concentration
concepción *f.* conception, understanding
concertar to agree (upon)
conciencia *f.* conscience; consciousness
conciliar conciliate; induce (*sleep*)
concluír conclude, finish, come to an end; **— con** make an end of

condenado, -a condemned, damned; **chillar como un —,** scream like a lost soul
condición *f.* condition, circumstance
condiscípulo *m.* fellow-student, comrade
conducir conduct, convey, transport
conductor, -ora conducting, connecting
conexión *f.* connection
conferencia *f.* lecture
confesar confess, admit
confesión *f.* confession
confesor *m.* confessor
confianza *f.* confidence, trust
confirmado, -a confirmed, corroborated
confluencia *f.* confluence
conforme agreed, in agreement, by agreement; **— a** in accordance with
confrontar bring face to face
confuso, -a confused
conmigo with me
conocer know, be acquainted with, recognize
conocido, -a known, well known, familiar
conozco *see* **conocer**
conquista *f.* conquest
conquistador, -ora conquering
conquistar conquer, win, seduce
consagrado, -a sacred, traditional, devoted
consciente thinking, sane
conseguir obtain, get; cause; succeed (in)
consejo *m.* advice, piece of advice, counsel; **-s** counsel; **por — de** at the suggestion (*or* advice) of
conservar preserve, conserve
consideración *f.* consideration, courtesy, respect
considerar consider
consignar consign
consistente (en) consisting (of)
consistir consist
consolación *f.* consolation
consolador, -ora comforting, consoling, compensating
consolar console, comfort
constancia *f.* resolution, persistence
constantemente continually, constantly
constar consist
constituír constitute
construcción *f.* construction
consuelo *m.* comfort, consolation
contacto *m.* contact; **ponerse en —,** come into contact
contagiar infect, corrupt, influence
contar tell, consider, tell about, relate; **— con** count, depend upon; have
contemplar watch, look at, gaze at, contemplate
contemplativo, -a contemplative
contemporáneo, -a contemporary
contener restrain
contento, -a satisfied, content, happy; *n. m.* joy; **— por vivir** joy of living
contentón, -ona *augmentative and pejorative of* **contento** happy, satisfied

contestación *f.* reply, answer
contestar reply, answer
contienda *f.* quarrel, fight
contigo with you (*fam.*)
continuar continue; **—se** continue, be prolonged
continuo, –a continual, constant
contorno *m.* outline
contra against
contrabando *m.* smuggling, contraband; **hacer — de armas** smuggle arms
contradecir contradict
contrario *m.* opponent
contrastado, –a in contrast, contrasted
contratiempo *m.* disagreeable incident, contretemps
contrato *m.* contract
convaleciente convalescent
convencer convince, confirm, persuade; **—se** be convinced, yield
convencimiento *m.* conviction
convencional conventional
conveniente fitting, advisable
convenir (**en**) agree, be fitting, wise *or* prudent
convento *m.* convent
conversación *f.* conversation
conversar converse
convertir change, convert; **—se** change; **—se en** change into, become
convicción *f.* conviction
convidar invite, induce; incite, inspire
convinieron *see* **convenir**
conzolación = **consolación**
copa *f.* top (*of a tree*), foliage; cup
copia *f.* copy
copiar copy
coqueta flirtatious; *n. f.* coquette
coquetear coquette, flirt
coquetería *f.* coquetry
corazón *m.* heart
cordero *m.* lamb
cordillera *f.* range
cordón *m.* cordon (*silver or gold cords worn at the shoulder of a military uniform*)
corear sing the chorus
corneta *m.* cornet (*person who plays a cornet*); bugler
coro *m.* choir, chorus
corola *f.* corolla
coronel *m.* colonel
correa *f.* strap, tug, harness
corredizo, –a *see* **lazo**
correr run, run away, go fast; scud (*of clouds*), spread (*of news*); flow; **corriendo** at full speed
correría *f.* foray, raid, adventurous expedition
corriente *f.* current
corroer gnaw, torture
corrosivo, –a scathing
cortaplumas *m.* penknife
cortar cut, sever, amputate
cortejo *m.* procession, cortège
cortina *f.* curtain
corto, –a short
cosa *f.* thing, affair; **gran —**, (*adv.*) very much; **una — tibia** something warm; **no hay tal —**, there is no such thing, it is not true; **—s de la vida** such is life
coser sew
cosmopolita cosmopolitan

costar cost, require
costear skirt, follow (*along the bank*)
costilla *f.* rib; *see* **calentar**
costumbre *f.* custom, morals, (good) manners, breeding; **la — vieja** the old order; **como de —,** as usual
crear create
crecer grow (up)
crecido, -a grown, large, long
crédito *m.* credit; **si había que dar —,** if one were to believe
creer believe, think; **ya lo creo** I should say so, yes indeed; **¿ tú crees?** do you think so?
crepúsculo *m.* twilight
criado, -a *n. m. & f.* servant
criar rear, bring up; **—se** grow
criatura *f.* child
crimen *m.* crime
cristal *m.* glass, pane
cristiano, -a Christian; *see* **doctrina**
crítico *m.* critic
crónico, -a chronic
cronista *m.* chronicler
cruz (*pl.* **cruces**) *f.* cross; **hacerse cruces** cross oneself
cruzar cross, pass (through), traverse
cuadra *f.* stable
cuadro *m.* picture; scheme
cuajar coagulate; **cuajadas de flores** loaded with flowers
cual like, as; **el, la, lo —, los, las —es** who, which; **Cual** " Such a one," " So and so"; **con lo —,** resulting from which, on account of which; **cada —,** each one
cuál which, which one, what
cualidad *f.* quality
cualquiera any, any one; any . . . at all
cuando when; **— la veda** the time of the closed season; **de — en —,** from time to time
cuándo when
cuanto, -a as much (many) as, all that; **unas —as** a few; **en —,** in so far
cuánto, -a how much (many)
cuarenta forty
cuartel *m.* barracks
cuartel llo *m.* soldiers' quarters
cuarto *m.* room; quarter
cuatro four
cuatrocientos, —as four hundred
cubierto *p.p. of* **cubrir**
cubrir cover
cuchara *f.* spoon; **— de palo** wooden spoon
cuchicheo *m.* whispering
cuello *m.* neck
cuenta *f.* account; *see* **tomar, libro; dar —,** report; **darse —,** understand, comprehend, realize
cuento *m.* story, short story (*as a literary form*)
cuerda *f.* cord, rope; ilk, class
cuerno *m.* horn
cuero *m.* leather; lining (*of a boot*)
cuerpo *m.* body, stomach; *see* **medio; — de guardia** barracks, guard-house
cuervo *m.* crow, raven
cuesta *f.* slope; **en —,** steep
cuestión *f.* question, matter
cueva *f.* cave

cuidado *m.* care; **¡ — !** be careful! **¡ ten — !** take care! **tener —,** worry; **— con** take care of, look out for; **le tiene sin —,** he does not care (about it)
cuidadoso, –a careful
cuidar care for, tend; **—se** care, concern oneself
culminación *f.* culmination, highest point
culminar culminate, reach the highest point
culpa *f.* blame; **echar la —,** blame; **tener la —,** be to blame
cultura *f.* culture
cumbre *f.* summit
cumplir fulfill, do one's duty
cuneta *f.* ditch
cuñado, –a *n. m. & f.* brother-in-law, sister-in-law
cura *m.* priest; **El —,** *see note to page* 39, *line* 11
curato *m.* parish, the charge of a parish
curiosísimo, –a very curious *or* interesting
curioso, –a curious, interesting
curva *f.* curve
cuyo, –a whose, of which

Ch

chaleco *m.* vest
chaparrón *m.* shower
chaqueta *f.* jacket, coat
chaquetón *m.* jacket
charanga *f.* bugle-call, fanfare
charco *m.* pool
charlar talk, chat
chasquear crack, snap
Chassepot *a rifle invented by Antoine Chassepot and adopted in* 1866 *for the French army*
chico, –a little; *n. m. & f.* boy, youngster, child, son, my lad; girl, little girl, child, daughter; **la conozco desde —a** I have known her since childhood
chichón *m.* bump, bruise
chillar cry out, scream
chillido *m.* shriek, scream
chimenea *f.* fireplace, chimney
chiquillo, –a *dim. of* **chico** little; *n. m. & f.* little boy, little girl
chiquito, –a little
chisme *m.* gossip; utensil
chismoso, –a gossipy, tale-bearing
chispa *f.* spark; **echando —s** sending out sparks, (*met.*) at full speed
chisporrotear crackle
chistera *f. a kind of racquet for playing pelota*
chocar run into, bump
choza *f.* hut
chozo *m.* hut

D

dama *f.* lady; **Senda de las —s** *name of a path outside the walls of Laguardia*
Dancharinea *frontier village on the French-Spanish border through which passes the highway from Bayonne to Elizondo and Pamplona; there is a customs house at*

this point which was seized by the Liberals under General Martínez de Campos January 31, 1876, *making it possible for the Liberal army to be supplied from France*

Dantchari *pr. n.*

daño *m.* injury; **hacer —,** hurt

dar give; — **la vuelta a** walk around; **—se de trompicones** pummel *or* punch each other; — **a** face, open into *or* upon, run into; — **mucho que hablar** cause much talk, attract much attention; — **la razón** admit that one is right; **iban a — las cuatro** it was about to strike four; — **las buenas noches** say good night; **le dieron tal risa** they amused him so much; **dado** granted, in view of; *see* **entender, prisionero**

de of, from, by, as, at, in

debajo under, beneath; — **de** under

deber ought, must, should; **se debe** is due

débil weak, feeble

decadencia *f.* decadence

decidido, –a resolute

decidir decide, determine

decir say, tell, call; **yo sé lo que me digo** I know what I'm talking about; **se dice** it is said, they say; **según se decía** according to report

declive *m.* slope; **en —,** sloping downward

decrépito, –a decrepit, tumbledown

dedicar devote, dedicate; **—se (a)** occupy oneself (with), go into

dedo *m.* finger

defecto *m.* defect

defender defend

defensa *f.* defense

definido, –a definite, specific

definir define

definitivamente definitely

dejar leave, abandon, give up, drop; — **de** cease; — **de vivir** die; — **libre** set free; **¡ déjale !** let him go!

del = **de** + **el** of (from) the

delantal *m.* apron

delante (de) in front (of), before; **por — de** in front of, in the face of; **tener —,** have before one

delantero *m.* forward (*one of the players in a pelota game*)

delgado, –a slender, thin

delicado, –a delicate

delicia *f.* delight; **ser una —,** be delightful

delirar be delirious, rave

delirio *m.* delirium

demandadero *m.* messenger (*of a convent*)

demás rest, other; **los —,** other people, the others, the rest

demasiado, –a too (much)

demonio *m.* devil, demon; — **de ambición** devilish ambition; **¡ que — !** what the devil ! **¡ sacristán de los —s !** (you) devil of a sexton!

demostrar demonstrate, show

denotar denote, show

denso, –a dense, heavy

dentro (de) inside, within
denunciar denounce
dependiente *m.* clerk, employee
depositar deposit
depósito *m.* depository
derecho, –a right
derruír destroy, ruin
derrumbar knock down, throw down; **piedras derrumbadas** fallen stones
desafiar challenge, defy
desafío *m.* challenge, defiance
desaliento *m.* discouragement
desalmado, –a soulless, heartless, wicked
desanimado, –a discouraged, disheartened
desaparecer disappear
desaparición *f.* disappearance
desatender disregard, ignore
desbandada *f.* rout; **huír a la —,** flee in confusion
descansar rest, repose
descarga *f.* volley
descender descend, get down
descenso *m.* descent
descerrajar force (*a lock*), break into
descolgarse let oneself down, descend
desconfiar distrust, suspect
descontento, –a dissatisfied
descorrer draw back
describir describe
descubierto, –a *p. p. of* **descubrir** open, exposed; **a la —a** in the open
descubrimiento *m.* discovery
descubrir disclose
desde since, from; **— entonces** from that time on, since then
desdeñosamente disdainfully
desear wish, desire
desemejante dissimilar, different
desempeñar perform, fill, discharge
desenganchar unhitch
desengañado, –a disillusioned
desenvainar unsheathe
desenvolverse develop; be forward, behave with (too much) assurance; get on in the world
deseo *m.* desire, inclination; **sentir —s de** long to, wish to
desequilibrio *m.* lack of balance
desertor *m.* deserter
desesperación *f.* desperation, despair; **era una —,** it was enough to drive one mad, it was unbearable
desesperado, –a desperate, despairing
desfallecer faint, swoon
desgarro *m.* imprudence, freedom
desgastar corrode, eat away
deshacer destroy, undo; **se deshacían en espumas** broke into foam
desheredar disinherit
deshielo *m.* break-up
deshonrar dishonor, disgrace
desinteresadamente disinterestedly
desliz *m.* slip, fall
deslizarse slip, slide
desmantelado, –a dilapidated, shabby
desmayado, –a fainting, in a faint
desmayarse faint, swoon

desmoralizar demoralize
desnudarse undress
desnudo, –a bare, naked
desobedecer disobey
desolación *f.* desolation
desolador, –ora desolating, discouraging
despacio slow, slowly
despachar dispatch, finish, get through
despacho *m.* office, study
despecho *m.* displeasure, anger, spite
despedida *f.* leave-taking, farewell
despedir dismiss, send away; **—se** take leave (of), say good-bye (to)
despellejar flay, skin (alive)
despeñarse fall (*over a cliff*)
despertar wake; **—se** wake, awake
despojo *m.* spoils
despreciar scorn, despise
desprecio *m.* scorn
despreocupado, –a unprejudiced
desprovisto, –a stripped, denuded, bare
después after, afterwards; **— de** after; **— que** after
destacarse stand out
destartalado, –a dilapidated, shabby
destino *m.* destiny, fate
destrozado, –a ragged
desván *m.* garret
desventura *f.* misfortune
desvío *m.* aversion
detalle *m.* detail
detener stop, detain, arrest, hold up (*a coach*), check; **—se** stop; **—se en** pause over, spend time on
detestar detest
detonación *f.* explosion, report
detrás (de) behind
detritus *m.* detritus, relic
deudo *m.* kinsman, relation
devolver give *or* hand back, return
devorar devour
día *m.* day; **todos los —s** every day; **en todo el —,** all day; **—s antes** some days before; **un — u otro** any day, presently; **hasta nuestros —s** until the present; **el mejor —,** one of these days, unexpectedly
diablo *m.* devil, fellow
dibujar draw, sketch
dice *see* **decir**
dicho, –a *p.p. of* **decir** the aforesaid; **lo —,** what has been said; **lo — por el exsecretario** what the ex-secretary said; **el — señor** the aforesaid lord
diente *m.* tooth
dieron *see* **dar**
diez ten; **— y seis** sixteen
diferenciarse differ
diferente different
difícil difficult, hard
dificultad *f.* difficulty
difunto, –a dead; *n. m.* dead man
difuso, –a diffuse
diga *see* **decir**
digo *see* **decir**
digno, –a worthy
digresión *f.* digression
dijo *see* **decir**

dilema *m.* dilemma
diligencia *f.* stagecoach
dinamismo *m.* dynamism
dinamita *f.* dynamite
dinero *m.* money
dió *see* **dar**
Dios *m.* God; **¡ — mío !** Good Lord! (*keep in mind the psychology of the situation when translating this and similar expressions*); **¡ por — !** for God's sake!
dirección *f.* direction; **en — a** in the direction of, toward
dirigir direct, lead; ask (*a question*); **—se** go to (toward); speak to; **—se por** go along
discreción *f.* wisdom, good sense, discretion
discurso *m.* speech
discusión *f.* discussion
discutible controversial, open to discussion
discutir discuss, dispute, argue
disfrutar enjoy, gain
disgregación *f.* separation, isolation
disgregarse separate, go by oneself
disimulado, -a concealed, secret
dislocación *f.* dislocation
dislocar dislocate
disminuír diminish
disolución *f.* dissolution, destruction
disolvente destructive, iconoclastic
disparar discharge, shoot, fire
disparate *m.* nonsense, folly
disparo *m.* shot; **hacer —s** shoot, fire
dispersión *f.* diffusion
disponer decide, settle; **—se** prepare, get ready, arrange, settle
disposición *f.* disposition; **buenas —es** kindly feelings
dispuesto, -a disposed, inclined, resolved, ready
disputa *f.* quarrel, dispute
distancia *f.* distance; **a poca —,** close at hand
distinguir distinguish, make out, see
distinto, -a different, distinct
distraer distract; **—se** be absentminded *or* inattentive
distraídamente absentmindedly
distraído, -a absentminded(ly)
disuadir dissuade
divagación *f.* digression, wandering
diverso, -a different, diverse
divertido, -a amusing, funny
divertir amuse, divert
dividir divide; **—se** divide
divino, -a divine
doble double; **— derecha** "squads right about"
doce twelve
Doctrina Cristiana: Hermanos de la —, *more properly* **Instituto de los Hermanos de Las Escuelas Cristianas** *a religious society devoted exclusively to the instruction of youth; it was founded at Rheims in* 1680; *its members are not priests but teachers; it maintains char-*

ity schools for poor children as well as colleges for the better classes
documento *m.* document
dolor *m.* pain, grief
doloroso, -a sad, painful
dominador, -ora dominating, dominant
dominante dominant
dominar dominate, control, domineer (over), conquer; overlook
domingo *m.* Sunday; **los —s** on Sundays
don Mr. (*used with given name only*)
doncella *f.* maid
donde where? **en —,** where, wherein, in which; **a —,** where, whither; **de —,** where, whence
¿ dónde? where? **¿ en —?** where? **¿ de —?** whence? from where? **¿ a —?** whither? where?
doña Mrs., Miss (*used before the given name*)
dorado, -a golden, gold
dormido, -a asleep; **quedar —,** fall asleep
dormir sleep; **—se** go to sleep
dos two; **los —,** both; **de — en —,** in pairs, two by two
doscientos, -as two hundred
doy *see* **dar**
doz = dos
dramático, -a dramatic
duda *f.* doubt
dudar doubt, disbelieve; **— de** disbelieve in, doubt
duelo *m.* mourning, funeral; *see* **presidir**
dueño *m.* owner, master; **— de sí mismo** self-contained, self-reliant; **se han hecho —s uno de otro** they have come to belong to each other
Dumas, Alexandre, père (1803–1870) *French romantic novelist*
durante during
durmieron *see* **dormir**
duro, -a hard
duro *m.* dollar (*more properly the five-peseta piece, nominally worth about* 90 *cents*)

E

e and
Ebro *the largest river of Spain which flows into the Mediterranean; it rises in the Pyrenees and flows southeast for a distance of* 928 *kilometers*
echar throw, cast; set; begin; shoot; **—se** go, throw oneself, put on; **—se a reír** begin to laugh; **—se a llorar** burst out crying; **—se a perder** be ruined *or* lost; **—selas de** pretend to be, put on airs of; **— abajo** destroy, thwart; **— en cara** taunt with, throw up to one; **— a correr** start to run, run off; **— la llave** turn the key; **— el cerrojo** push the bolt; **— piropos** pay compliments
edad *f.* age; **— media** Middle Ages
edematoso, -a swollen, puffy
educación *f.* education, training, breeding

educado, –a educated; **bien —,** well-bred
educar educate, bring up
efectivamente in fact
efecto *m.* effect
eficazmente effectively, urgently
egolatría *f.* egolatry, self-worship
Egozcue *pr. n.*
¡ eh ! eh! hello!
eje *m.* axis, pivot
ejecución *f.* execution
ejecutor *m.* administrator, executor
ejemplar representative, typical
ejemplo *m.* example
ejercer practise, exercise
ejército *m.* army
el, la, los, las the; **— de** the one with; **— que** he who, the one who *or* which
él he, it
elásticamente agilely, swiftly
Elduayen *a village of 224 inhabitants in the northeastern part of Guipúzcoa, near Tolosa*
elefante *m.* elephant
elegancia *f.* elegance
elegir choose, select
elemento *m.* element
elevar raise, hold up
eligió *see* **elegir**
Elizondo *a town of some 1500 inhabitants in the northern part of Navarre not far from the French frontier on the river Baztán (the upper Bidasoa); it is an old town of narrow streets and gloomy, thick-walled houses built of reddish native stone; its inhabitants were largely Carlist in sympathy during the first and second civil wars*
elogioso, –a laudatory
ella she, it
embalsarse form a pool
embozado, –a with one's face muffled in his cloak
embromar joke
emoción *f.* emotion, feeling; **— de la vida** interpretation of life
empellón *m.* push, shove
empeño *m.* earnestness, insistence; **con —,** urgently
empezar begin
empiezo *see* **empezar**
emplear use, employ, utilize
empobrecer impoverish
empollar hatch, hatch out
empotrado, –a mortised
empresa *f.* enterprise; management
empujar push, urge, impel
empujón *m.* push, shove; **a —es** shoving
en in, on, upon, at, around, to, within
enagua *f.* petticoat
enamorado, –a in love, enamored, lovelorn
enamorar make love to, court
enarbolar raise aloft
encaminarse go, take the road (toward)
encantar delight, charm
encanto *m.* charm
encaramarse climb
encararse (con) face; address
encargar charge, direct; **—se** undertake, take charge of

encargo *m.* errand, message; instruction; **llevar —s** do errands; **hacer —s (a alguien)** send on errands
encarnado, –a incarnate
encarnizado, –a bloodthirsty, desperate
encarnizamiento *m.* cruelty, ferocity
encender light, kindle
encerrado, –a shut up, (a) prisoner
encerrar enclose, shut up, lock up
encima above, over, upon; **por —**, above, over everything
encina *f.* live oak
encoger contract; **—se de hombros** shrug one's shoulders
encontrado, –a opposing, contrasting
encontrar meet, find; **—se** find oneself, be; **—se con** meet; **—se con que** find out that
encuadrado, –a contained in, fitted into
encuentras *see* **encontrar**
encuentro *m.* encounter; **salir al —**, go (*or* come) out to meet, meet
endomingado, –a dressed in one's best
enemigo *m.* enemy
enemistad *f.* enmity
enérgico, –a energetic
energúmeno *m.* one possessed of a devil, maniac
enfermar fall sick
enfermedad *f.* sickness, disease
enfermizo, –a sickly
enfermo, –a ill, sick; *n. m.* patient, sick man
enfilar see from one end to the other
enfrente (de) opposite, in front (of), before, in comparison with, in the presence of
enfurecido, –a infuriated
enganchar hook (on), fasten
engañar deceive, betray
Enguí *name of a place in the Pyrenees*
enigmático, –a enigmatic
enjuto, –a lean
enorme huge, enormous
enramada *f.* thicket, interlacing branches
enredarse become complicated *or* entangled
Enrique IV Henri IV (*king of France; born at Pau* (*Béarn*) *in* 1553, *died in Paris in* 1610; *a brave soldier and very popular with his men, who called him "le Roi des braves"*)
enroscar curl, twine
ensangrentado, –a bloody, covered with blood
ensayar rehearse, study
ensayo *m.* essay
enseñanza *f.* instruction; **primera —**, primary instruction
enseñar teach
ensotanado, –a cassocked, priestly
entender understand, hear; **—se** communicate, speak together; **dar a —**, feign,

pretend, indicate; **—se con** deal with, arrange with; **—se en otra lengua** talk in another language
entendido, –a wise; **estaban —s** they had an understanding
enterar inform; **—se (de)** find out, comprehend, ascertain
entero, –a whole, entire
enterrar bury
entierro *m.* funeral, burial
entonar intone, chant
entonces then
entrada *f.* entrance
entrado, –a advanced
entramado *m.* framework, timbering
entrar enter, go in (to); **— en** enter, join; **le entró por un ojo** pierced his eye; **hasta bien entrada la noche** until late at night; **hasta muy entrada la mañana** until late in the morning
entre among, between, amid; **— la nieve** in the snow; **por —,** among, through; **diferentes — sí** different from each other
entregar hand (over), give, deliver
entremezclado, –a intermingled
entretener amuse oneself, spend one's time
entrevista *f.* interview
entusiasmado, –a enthusiastic, enthusiastically
entusiasmo *m.* enthusiasm
enviar send
envidia *f.* envy
envolver envelop, cover; cut off, surround
envuelto *p. p. of* **envolver** wrapped
enzarzarse become involved
epidemia *f.* epidemic
episódico, –a episodic
época *f.* period, time
equilibrio *m.* balance, equilibrium
equipaje *m.* baggage
equivocación *f.* mistake
equivocado, –a mistaken
erguido, –a erect, stubborn
erguir erect, raise up; **—se** straighten (up), recover oneself; stand (out), project
ermita *f.* hermitage
errabundo, –a aimless(ly), wandering
errante wandering
escalar scale, climb
escalera *f.* stairs, staircase, ladder
escalón *m.* step
escandalizar scandalize, shock
escándalo *m.* scandal
escapar escape, get away, flee; **—se** escape, get away
escape *m.* escape; **a —,** as quickly as possible, at full gallop
escepticismo *m.* scepticism
esclavina *f.* cloak, cape
esclavo *m.* slave; *see* **hecho**
escobilla *dim. of* **escoba** *f.* broom
escoltar escort
esconder hide, conceal; **—se** hide
escondido, –a hidden; **a —as** secretly

escopeta *f.* shotgun, gun
escribir write
escrito, –a *p.p. of* **escribir** written; **por —,** in writing; *n. m.* writing
escritor *m.* writer
escuchar listen (to), hear
escudo *m.* shield, coat of arms
escuela *f.* school
esculpir sculpture, chisel
escupidera *f.* cuspidor
escupir spit
ese, –a, –os, –as that, those
ése, –a, –os, –as, that (one), he, she, those, they
esencial essential, important
esencialmente essentially
esforzado, –a strong, valiant
esfuerzo *m.* effort, attempt
eslavo *m.* Slav
eso that; **— es** that's right, that's good; **por —,** on that account, therefore; **— de** about
espacioso, –a spacious, roomy
espada *f.* sword
espalda *f.* back
espantar frighten
España Spain
español, –la Spanish, Spaniard
esparto *m.* esparto grass
especial special
especialidad *f.* specialty
especie *f.* species, kind; idea
especificar specify, name
espectáculo *m.* spectacle, sight, performance
esperanza *f.* hope
esperar await, wait, wait for, hope; **hacerse —,** be long delayed
espiar watch, spy upon
espionaje *m.* spying, espionage
espiritual spiritual
espléndido, –a splendid
Espolón *name of a paseo in Logroño near the railroad station*
espontáneamente spontaneously
espontaneidad *f.* spontaneity
espontáneo, –a spontaneous
esquina *f.* corner
establecer establish; **—se** start in business (for oneself), establish oneself (in business)
estación *f.* station
estado *m.* state; **— mayor** staff
estancia *f.* stay, sojourn
estar be, stand, be at home *or* present; **— de oficial** be a workman; **— por** be on the side of, support, like; **ya está** it is settled, arranged; *see* **bien**
estático, –a static
este, –a, –os, –as this, these
éste, –a, –os, –as this (one), the latter, he, she, these
Estella *a city of* 6,418 *inhabitants* (1920) *in the western part of Navarre on the river Ega and the highway between Pamplona and Logroño; it was relatively more important in the Middle Ages than at present; it was the center of Carlism during the first civil war and the seat of the "court" of the first Pretender "Carlos V" in* 1835; *the population has always been Carlist and probably still is*

estético, –a aesthetic
estilo *m.* style
estocada *f.* sword thrust; **tirar una —,** thrust with a sword
estoicismo *m.* stoicism
estorbar hinder, annoy, get in one's way; **—se** get in each other's way, annoy each other
estrechar press; **— en los brazos** embrace; **— la mano** shake hands
estrecho, –a narrow, close
estrella *f.* star, fate
estrellado, –a covered with stars, starry
estrellarse splinter, dash to pieces
estremecer shake, tremble
estremecimiento *m.* quiver, trembling
estrépito *m.* noise; **meter —,** make a noise
estudiante *m.* student
estudiar study
estupidez *f.* stupidity
estúpido, –a stupid
etnológico, –a ethnological
etnólogo *m.* ethnologist
¡ eup ! hey! hi! hello!
Eurcpa Europe
europeo, –a European
eúskaro, –a Basque
evidente evident
evitar avoid
evolución *f.* evolution
exactitud *f.* correctness, exactitude, truth
exacto, –a exact(ly), precise(ly), correct
exagerado, –a exaggerated, extreme
exaltación *f.* exaltation
exaltarse get excited
examinar examine
excelente excellent
excepto except
excitar excite, encourage, stimulate
exclamación *f.* exclamation
exclamar exclaim, call (out)
excusa *f.* excuse
exento, –a exempt, deprived of, without
exguerillero *m.* former guerrilla
exhalación *f.* exhalation; shooting-star
exigir demand, insist, require
existente in existence, existing
existir exist
éxito *m.* success
exótico, –a exotic
expartidario *m.* former adherent *or* partisan
expectación *f.* expectancy, excitement
expedición *f.* expedition
experimentar experience, feel
explanada *f.* open space, esplanade
explicación *f.* explanation
explicar explain, teach; **—se** express oneself, speak
explotación *f.* exploitation
explotar exploit, take advantage of
exponer expose, set forth; **—se (a)** risk, run the risk
exposición *f.* exposition, exhibition
expresar express
expresión *f.* expression
exsecretario *m.* ex-secretary
extender extend, spread (out);

increase, stretch; **—se** reach (out), stretch
extensión *f.* extent, sweep
exterior external, outside; *n. m.* exterior, (external) appearance
externamente externally, superficially
externo, –a external
extraer extract, remove
extra-muros outside the city, environs (*of a city*), external, outside
extranjerizado, –a outlandish, foreign-looking
extranjero, –a foreign; *n. m. & f.* foreigner, foreign countries
extrañado, –a astonished
extrañar wonder (at), cause one to wonder; **—se** be surprised, wonder; **a Bautista le extrañaba** Baptist was surprised at
extraño, –a strange
extraordinario, –a extraordinary, wonderful, extravagant
extravagancia *f.* folly; irregularity, extravagance
extravagante extravagant; **lo —,** the extravagance
extremado, –a extreme
extremo, –a extreme; *n. m.* end, limit; **en un —,** at one end
Ezpeleta *pr. n.*

F

fabricar make
fácil easy
facilidad *f.* facility, ease
fácilmente easily
fachada *f.* façade, front (*of a building*)
Fagollaga *a village on the route between Vera and Oyarzun*
falsedad *f.* insincerity, falsehood
falso, –a false, treacherous
falta *f.* fault, error; lack, absence; foul; **— brutal de atención** churlish discourtesy
faltar lack, want, be lacking; disregard
fama *f.* reputation
famélico, –a hungry, emaciated
familia *f.* family; **le venía de —,** he had inherited it
fanático, –a fanatical
fanfarronada *f.* boast, bravado
fardo *m.* bale (*of goods*), bundle
farol *m.* lantern, street lamp
fastidiar annoy, disgust; **—se** get into difficulty, be in a " fix "
fatiga *f.* fatigue, weariness
fauna *f.* fauna (*the animals of a region or country*)
favor *m.* favor; **a — de** in behalf of; **hacer el —,** be kind enough
fe *f.* faith
felicitar congratulate, felicitate; **fué muy felicitado** was much congratulated
Félix *pr. n.*
fenomenal phenomenal, huge
feo, –a ugly
Fermín *pr. n.*
feroz fierce, cruel
fianza *f.* guarantee, security
fiar trust; **—se (en** *or* **de)** trust to, depend (upon)

fibra *f.* splinter
fiebre *f.* fever
fiera *f.* (wild) beast, animal
fiesta *f.* feast, celebration, festivities
figura *f.* figure
figurar figure, appear; **—se** imagine
fijar fix; **—se (en)** notice
fijeza *f.* fixity
fijo, –a fixed, static
fila *f.* row, file, line (*of an army*), rank
filosofía *f.* philosophy
filosófico, –a philosophical
fin *m.* end, purpose; **a —es de** at the end of; **un sin —,** an infinite number; **con buen —,** with honorable intentions; **por —,** at last, finally; **al —,** finally; **tener —,** come to an end, end
final final, terminal; *n. m.* end
finalidad *f.* purpose
fino, –a fine; slender, graceful; polite
finura *f.* courtesy; **con —,** courteously, politely
firma *f.* signature
firmar sign
firme firm, resolute, brave; *n. m.* **—s** loyal friends
físico, –a physical; *n. m.* doctor
fisonomía *f.* physiognomy
flaco, –a thin, lean
flaqueza *f.* weakness
flauta *f.* flute
flecha *f.* arrow
Fleche (French *flèche*) *f.* arrow (*used as the name of a boat*)
flor *f.* flower, blossom; (*sometimes collective*) blossoms, bloom; **—es de María** songs in honor of the Virgin (*sung in the month of May*)
flora *f.* flora (*the vegetation of a country*)
florecer flower, blossom
flotar float, wave
fluír flow; *n. m.* current, flow
fogonazo *m.* flash
fonda *f.* inn, lodging house
fondo *m.* depth, bottom; bed (*of a river*); background, substance; **en el —,** at bottom, at heart, fundamentally; **en cuyo —,** at the back of which; **bajos —s** lowest classes
forcejear struggle
forma *f.* form, manner, way; **en otra —,** otherwise
formado, –a formed, shaped; **—s** (drawn up) in formation (*of soldiers*)
formal formal, dignified; serious; well-behaved
formalizar make formal, formalize
formar form, make, shape; (*of soldiers*) assemble; **—se** develop
fortaleza *f.* fortress
fortuna *f.* fortune
fracaso *m.* failure
fraile *m.* friar
francés, –esa *adj. & n.* French, Frenchman
Francia France
franco, –a frank, open
frasco *m.* flask, bottle
frase *f.* sentence, phrase
frecuencia *f.* frequency; **con**

—, frequently; **con mucha —**, very often
frecuentar frequent, attend
frecuente frequent, common
frenéticamente frantically
freno *m.* rein, check
frente *m. or f.* forehead, front (part); **hacer —**, face the enemy, hold one's ground; **— a** in front of
fresa *f.* strawberry
fresco, –a cool, fresh
frialdad *f.* coldness
fríamente coldly, coolly
frío *m.* cold; **hacer —**, be cold
frontera *f.* frontier
fruncir frown; **— las cejas** frown
fruta *f.* fruit
frutal fruit
fué *see* **ser** *and* **ir**
fuego *m.* fire; **hacer —**, fire (*a gun*)
fuente *f.* fountain
fuera *see* **ser** *and* **ir**
fuera outside; **— de** outside (of), out of; **los de —**, those outside
fuero *m.* legal privilege *or* exemption; law (*embodying such exemption*), charter
fueron *see* **ser** *and* **ir**
fuerte strong, loud
fuerza *f.* strength, force; **a — de** by dint of, by means of; **a — de —s** by main strength
fuese *see* **ser** *and* **ir**; **— vino o licor** whether wine or spirits
fuga *f.* escape; **declararse en —**, run away
fugar flee, escape
fugaz fugitive, fleeting
fugitivo, –a fugitive
fumar smoke
fundador *m.* founder
fundido, –a cast
funera (*Latin*) funeral, obsequies; ***post — virtus vivit*** virtue lives after death
funesto, –a mournful, sad
furgón *m.* combat wagon (*military*); **— de artillería** caisson
furia *f.* fury, vigor, speed
furioso, –a violent, furious
furor *m.* fury, frenzy
fusil *m.* gun, rifle
fusilar shoot
fusilería *f.* musketry, rifle-fire

G

gabán *m.* overcoat
gacho, –a lop sided, left handed
Galdós, Benito Pérez (1843–1920), *Spanish novelist and dramatist, perhaps the greatest literary figure of nineteenth century Spain*
galería *f.* gallery
galgo *m.* hound; *see note to page* 18, *line* 7
galope *m.* gallop, galloping
galleta *f.* biscuit; *see* **Burdeos**
gallina *f.* hen
gana *f.* desire, liking; **venirle en —**, take a fancy, like
ganancia *f.* profit, gain
ganar earn, win, gain; get ahead, get through to, reach; **— la** (*or* **su**) **vida** earn his living; **— la partida** get the better of, beat
ganchudo, –a hooked, curved
gangoso, –a nasal

garantía *f.* guarantee
garboso, -a graceful; gay
garfio *m.* hook
garrotazo *m.* blow (*with a club*)
garrote *m.* cudgel, club
gascón *m.* Gascon (*inhabitant of Gascony, an ancient province of southwestern France*); **de —,** Gascon (*adj.*)
gastar spend, wear
gemido *m.* moan, groan
gemir moan
gendarme *m.* gendarme (*French armed police*)
generación *f.* generation
general *m.* general; **mi —,** general (*term of address*)
generalizarse become general
género *m.* goods, merchandise; type, *genre*
genio *m.* wit, genius, mind; temper, disposition
gente *f.* people, folk; followers, soldiers, men; reinforcements
gentío *m.* crowd
genuinamente genuinely
geografía *f.* geography
geográficamente geographically
germanizar germanize (*of the Visigoths*)
germano, -a German
germen *m.* germ
gesto *m.* gesture, expression
gimiendo *see* **gemir**
ginete *m.* rider, horseman
gloria *f.* glory, happiness, heaven; **en sus —s** very happy
godo, -a Gothic; *n. m. & f.* Goth
golpe *m.* blow, stroke; thud
golpear strike, pound, beat
golpecito *m.* tap, light blow
gordo, -a fat, stout, big; *see* **uno; algo —,** something good (*i.e.* notable)
gorrita *dim. of* **gorra** *f.* small cap
gota *f.* drop
gozar enjoy, take pleasure (in)
gracia *f.* grace; **—s** thanks
gran, grande great, large; oppressive
granada *f.* cannon ball, shell; **—s y —s** shell after shell
granuja *f.* rascal, scoundrel, gamin
grave serious, seriously ill
gravísimo, -a very serious(ly)
gregario, -a gregarious
gris gray
gritar shout, cry
grito *m.* shout, cry; **a —s** at the top of one's voice; **dar —s** cry out, shout
grotesco, -a grotesque, absurd
grueso, -a thick, stout, heavy; main body (*of an army*)
grupo *m.* group
guapo, -a pretty
guardar keep, put away, preserve, guard
guardia *f.* guard; **como haciendo —,** as if standing guard; **— civil** civil guard (*a semi-military police*), civil guardsman; **— negra** bodyguard (*so-called from the famous Black Guard created by a King of Hungary in 1458*)
guarecerse take refuge
guarecido, -a sheltered, in hiding

guarida *f.* den, lair
guerra *f.* war; — **civil** civil war; *see note to page* 12, *line* 1
guerrero, -a warlike, martial
guerrilla *f.* band, faction; **en** —, in line of skirmish
guía *m.* & *f.* guide
guiar guide; drive (*of horses, etc.*)
guiri *m. slang term for the Liberals*
guirnalda *f.* garland
guiso *m.* dish, (kind of) food
gustar please, like; **le gustaba** he liked
gutarrac *Basque word meaning* **nuestros**

H

haba *f.* bean
haber have; **hay (había, etc.)** there is (was, etc.); **hay que** it is necessary, one must; **así hay que ser** that's the way to be; **¿ qué hay ?** what is it? **había de ser** was to be; **puede** —, there may be; **¡ quién había de decir !** who would have thought!
hábil able, active, sound, uninjured
habitación *f.* room
habitar dwell, live
hábito *m.* garb; —**s** robes (*of a priest*)
habla *f.* speech; **ponerse al** —, begin to talk
hablar speak, talk, tell, talk about, say
habréis *see* **haber**
hacendado *m.* land-holder
hacer do, make; **hace años** years ago; **hace poco** a little while ago, recently; —**se** become, grow, happen; —**se el hombre** put on a manly air; —**se el asustadizo (indiferente)** pretend to be timid (indifferent); **se había hecho un chichón** had given herself a bump; **hizo que llamaran** had them call; *see* **noche**; — **como si** behave as if; — **como que** act as if
hacia toward; — **casa** homeward; — **arriba** upward
haga *see* **hacer**
¡ hala ! get up! get out! courage! come on!
halagador, -ora flattering, attractive
halagar flatter
hallar find; —**se** find oneself, be
hambre *f.* hunger; **hay** —, you are hungry
hambriento, -a starving, hungry
Hamlet *hero of Shakespeare's play of the same name*
haré *see* **hacer**
has *see* **haber**
hasta even, until, to, up to, as far as; — **que** until; — **tal punto** to such an extent
hay *see* **haber**
haya *f.* beech
hazaña *f.* deed, feat
hecho *m.* deed, fact, act, event
hecho, -a *p.p. of* **hacer**; — **un esclavo** enslaved; **lo — por**

él what he had done; — **esto** this done
helado, -a chilled (*literally or figuratively*)
helecho *m.* fern
hélice *f.* propeller
heno *m.* hay
heráldico, -a heraldic
heredero *m.* heir, scion
herencia *f.* inheritance
herida *f.* wound
herido, -a wounded; *n. m.* wounded man
herir wound, strike, hurt
hermana *f.* sister
hermandad *f.* brotherhood
hermano *m.* brother; *see* **doctrina**
hermoso, -a beautiful, fine; *as noun in address* fair one
Hernani *an old town of Guipúzcoa* (3,484 *inhabitants*) *about ten kilometers south of San Sebastian; it has figured prominently in the Carlist wars*
héroe *m.* hero
herrada *f.* bucket (*made of wood hooped with iron*)
herradura *f.* shoe (*of a horse*); **ruido de las —s** hoof-beats
hiciera, hicieron *see* **hacer**
hidalgo *m.* nobleman, aristocrat
hierba *f.* grass; **mala —,** weed
hierbajo *m.* weed
hierro *m.* iron
higo *m.* fig
higuera *f.* fig tree
hija *f.* daughter
hijo *m.* son, child; **—s** children, sons
hijosdalgo *pl. of* **hijodalgo** = **hidalgo**
hilo *m.* thread; — **conductor** connecting thread; *see* **alma**
hinchar swell
histérico, -a hysterical
historia *f.* history, story
histórico, -a historical
hizo *see* **hacer**
hoguera *f.* fire, bonfire
hoja *f.* leaf
hombre *m.* man; ¡ — ! man (alive)!
hombretón *m.* big fellow, large man; **se estaba haciendo un —,** was getting to be a big fellow
hombro *m.* shoulder; *see* **encoger; al —,** over the shoulder
hondo, -a deep
hondonada *f.* ravine
hora *f.* hour; **a la media —,** after half an hour
horda *f.* horde
horno *m.* oven, furnace
horrorizar horrify
hostilidad *f.* hostility
hoy today
hubiese *see* **haber**
huérfano, -a *m. & f.* orphan
huerta *f.* orchard
huertecillo *dim. of* **huerto** small garden
huerto *m.* (vegetable) garden
huesudo, -a bony
huevo *m.* egg
huír flee, run away; — **de** avoid, run away from
hum hm, well
humanidad *f.* humanity
humano, -a human

humareda *f.* mass of smoke
humear smoke
humedad *f.* dampness
humedecer wet, moisten
húmedo, -a damp, moist
humilde humble, meek
humillación *f.* humiliation
humillar humiliate, humble
humo *m.* smoke
humorismo *m.* humor
hundir submerge, sink; **—se** sink, be sunken
huronear rummage, pry about
hurra hurrah; **— Pepito** *name of a song*
huyó *see* **huír**

I

iba *see* **ir**
Ibantelly *a mountain pass on the Spanish-French frontier near Mt. La Rhune*
ibérico, -a Iberian
idear think of, plan
idearium *m.* ideology, system of ideas
ideológico, -a ideological
identificar identify; **— su persona** *or* **personalidad** identify you, identify yourself
idilio *m.* idyl
idioma *m.* language
idiota idiotic; *n. m.* idiot
iglesia *f.* church; *see* **San Juan**
Ignacia Ignatia
Ignacita *dim. of* **Ignacia**
ignorar be ignorant of, not know
igual equal, the same, just as well off; **por —,** equally
igualar make equal; **—se** become even
igualdad *f.* evenness
igualmente equally, likewise
ilegible illegible
ileso, -a uninjured
iluminar light up, illuminate; **iluminado con** lighted by
imagen *f.* image, figure of speech
imaginación *f.* imagination
imaginativo, -a imaginative
imbécil *m.* idiot, imbecile
impaciencia *f.* impatience
impaciente impatient
impedir prevent
imperiosamente imperiously
impersonalidad *f.* impersonality, detachment
implorar implore, beg
imponer impose
importancia *f.* importance
importante important
importar matter, be important
imposible impossible
impresión *f.* impression, feeling, sensation, emotion; **le dió la —,** he had the impression
impresionismo *m.* impressionism
improvisar improvise
imprudencia *f.* imprudence, rashness, risk
impulso *m.* impulse; **a —s del viento** blown (driven) by the wind
inacción *f.* inaction
inadvertido, -a unnoticed
incapacidad *f.* incapacity, inability
incapaz incapable

incendiar set fire to
incendio *m.* incendiarism, arson; fire, conflagration
incesante incessant, continual
incesantemente incessantly
inclinación *f.* inclination, liking
inclinado, –a inclined, slanted
inclinarse lean, bend, tip; — **del lado de** favor, go over to the side of
incoercible unyielding, stubborn
incoherencia *f.* incoherence
incoherente incoherent
incomodar anger, annoy
inconfundible characteristic
inconsciencia *f.* incomprehension, stolidity, mental apathy
inconsciente unconscious
inconsistencia *f.* inconsistency
inconsistente inconsistent
inconveniente *m.* objection
incorporar raise up; **—se** sit up
indagación *f.* inquiry, investigation
independencia *f.* independence; — **de escritor** literary independence
independiente independent
indicar indicate, mention; show, point to, direct; make visible; tell
indiferencia *f.* indifference
indiferente indifferent, unimportant; **haciéndose el —,** feigning indifference
indígena indigenous
indignarse become indignant (angry)
indispensable indispensable, necessary
individual individual, individualistic
individualidad *f.* individuality
individualismo *m.* individualism
individualista individualistic; *n. m.* individualist
individuo *m.* individual
indudablemente without doubt, doubtlessly
inercia *f.* inertia
inesperado, –a unexpected
infancia *f.* childhood
inferioridad *f.* inferiority
ínfimo, –a very low
infinito, –a infinite
inflexible unyielding, obdurate
influencia *f.* influence
influír (**en**) influence
infranqueable uncrossable, impassable
infundir inspire, infuse
ingenioso, –a ingenious
ingenuo, –a ingenuous, fresh
iniciar initiate, begin
inmediatamente immediately, at once
inmediato, –a near(est), next (to)
inmensidad *f.* immensity
inmenso, –a immense
inmóvil motionless, static
inmovilidad *f.* immobility
inquietar disturb, worry
inquietud *f.* restlessness, anxiety, trouble
insatisfacción *f.* dissatisfaction
insatisfecho, –a dissatisfied, discontented
insignificante insignificant
insinuante ingratiating

insistir insist, maintain
insociable unsociable
instante *m.* instant; chance
instinto *m.* instinct
instrumento *m.* instrument, tool
insubordinar rebel, get out of control
insultar insult
insulto *m.* insult
integrante integral
integrar integrate, make up
intelectual intellectual
inteligencia *f.* intelligence
inteligente intelligent; *n. m.* expert
intensidad *f.* intensity
intenso, -a intense
intentar try, attempt
intento *m.* attempt; **de —,** purposely
interés *m.* interest, advantage
interesante interesting
interino, -a substitute, temporary
interior *m.* interior, inside; **en el —,** within; **en el — de su alma** in the depths of his soul
interlocutor *m.* interlocutor (*one who takes part in a conversation*)
interno, -a internal
interpretación *f.* interpretation
intervenir intervene, interfere, appear
intimidar intimidate
intranquilo, -a anxious
intransitable impassable
inútil useless, unused, idle
invencible invincible, insurmountable
invención *f.* invention
inventar invent, make up
invierno *m.* winter
invitación *f.* invitation
invitado *m.* guest
Iñasi *fam. for* **Ignacia**
Iñigo *pr. n.*
Ipintza *pr. n.*
ir go; *as auxiliary* be (*e.g.*, **iba dando** was giving); *with adjectives sometimes* be (*e.g.*, **el coche iba lleno** the coach was full); **—se** go off *or* away, go on; **¿ en qué iba?** where was I? what was I talking about?; **iba a amanecer** dawn was approaching; **¿ quién va?** who is it?; **vaya** come (on), well; **se le iban las fuerzas** his strength was failing him; **yo voy bien** I am all right; **iban cuatro juegos por nada** the score was four games to nothing
ira wrath, anger; **con —,** angrily
iracundo, -a irascible, angry
Iraty *forest on the Spanish-French frontier a few miles southeast of St. Jean-Pied-de-Port* (*Basses Pyrénées*)
irguió *see* **erguir**
ironía *f.* irony
irónicamente ironically
irónico, -a ironical
irritar irritate, exasperate
irrumpir (en) invade
Irún *town of* 14,921 *inhabitants in the northeastern part of Guipúzcoa east of San Sebastián; it was besieged by the Carlists in the fall of* 1874

Isquina *pr. n.*
izquierdo, -a left; *n.* **-a** left, left hand

J

jabalí *m.* wild boar
Jabonero *nickname; lit.*, soap-maker
jaco *m.* pony, (small) horse
jactarse boast
jaleo *m.* diversion, " spree," " celebration "
jardín *m.* garden
jarro *m.* jug; *see* **boca**
jefe *m.* chief, leader, officer; **general en —,** commander-in-chief
jergón *m.* mattress
Jesús Jesus
jo *Basque for* **pega**
José Joseph
Joshé Cracasch *pr. n.* (**Joshé** = **José**)
joven young; *n. m. & f.* young man *or* woman
jovialidad *f.* jollity, good humor
judía *f.* bean
judío, -a *n. m. & f.* Jew, Jewess
juega *see* **jugar**
juego *m.* game; court; play, style of play
jugada *f.* stroke, shot (*in a game*)
jugador *m.* player, gambler
jugar play, gamble; **—sela** outwit, make game of; **—se la vida** risk one's life
juicio *m.* judgment, sense
juntamente together with
junto (**a**) near, by the side of, by, close to; **—s** together
justicia *f.* justice, punishment
justo, -a exact, just
juventud *f.* youth
juzgar judge

K

kilómetro *m.* kilometer

L

la her, to her, it
labio *m.* lip
labor *f.* work, labor, task; **días de —,** working days
labrador *m.* farmer, peasant
Lácar: batalla de —, *the battle of Lácar (a village in Navarre) occurred February* 3, 1875; *the Liberals under General Bargés were put to flight by a surprise attack and the Carlists took possession of the city*
lado *m.* side, direction; **en otro —,** anywhere else; **por otro —,** on (*or* from) the other side; **al — de** beside, with
ladrido *m.* bark
ladrillo *m.* brick
ladrón *m.* thief, robber; *adj.* thievish
lágrima *f.* tear
Laguardia *a town of* 2,259 *inhabitants situated in the province of Álava a few miles northwest of the city of Logroño; it was captured by the Carlists in August* 1874 *and retaken by the Liberals shortly after*

lamentar lament, mourn; **—se** grieve, complain, regret
lamento *m.* lamentation, wailing
lámpara *f.* lamp
lamparilla *f.* small lamp
lancha *f.* boat
Lanciego *a village of* 937 *inhabitants in the province of Álava, northeast of Laguardia*
landó *m.* landau
languidecer languish
lanza *f.* lance, knight
lanzar throw, hurl; raise, utter; egg on, urge; **—se** dash, leap, rush; **—se sobre las viandas** attack the food; **— fuego** flash fire
lápida *f.* slab, tombstone
lápiz *m.* pencil
largo, –a long; **a lo — de** along
larguísimo, –a very long
Larrau *a mining village in southwestern France* (*Basses Pyrénées*) *near the Spanish border* (800 *inhabitants*)
Larrun (French *La Rhune*) *a mountain in the extreme southwest of France near the Spanish frontier*
las them, to them
Lasala *name of a place*
lástima *f.* pity; **es —,** it is a pity
latente latent
látigo *m.* whip
latino, –a Latin
lavandera *f.* washerwoman, laundress
lazo *m.* noose, snare; **— corredizo** slipknot *or* noose
le him, to him, to her
lealtad *f.* loyalty, honesty; **con —,** honorably
lector *m.* reader
lecho *m.* bed; **— de la carretera** roadbed
leer read; **leído esto** when this had been read, having read this
legitimista *m.* legitimist (*an adherent to the theory of succession to the crown by strict order of primogeniture*); *see note to page* 61, *line* 4
legítimo, –a legitimate, justifiable
lejano, –a distant, far-off, far
lejos far (away); **a lo —,** far, to a distance, in the distance
lengua *f.* language, tongue
lenguaje *m.* language
lentitud *f.* slowness, deliberation
lento, –a slow
leña *f.* firewood
les them, to them
Lesaca *town of* 1,014 *inhabitants in the extreme north of Navarre close to the French frontier*
letra *f.* letter; draft, letter of credit
levantar raise; **—se** rise, get up, stand, be up; **—se de la cama** get out of bed; **— la vista** raise one's eyes
Levi-Álvarez *pr. n.*
libérrimo (very) free
libertad *f.* liberty, freedom
libre free, at liberty; *see* **dejar**
libremente freely
libro *m.* book; **— de cuentas** account book

licor *m.* liquor, spirits
liebre *f.* hare
ligero, -a light, slight; swift
lila *f.* lilac
limitar limit, bound
limosna *f.* alms, charity; **dejar por —,** let one have for nothing
limpiar clean, sweep
limpio, -a clean, tidy, neat
linaje *m.* lineage
linajudo, -a aristocratic, distinguished (by birth)
línea *f.* line; one-twelfth of an inch
linguista *m.* linguist
lírico, -a lyric, lyrical
lirismo *m.* lyricism
listo, -a quick-witted, clever, ready
literario, -a literary
literato *m.* literary man, writer
literatura *f.* literature
lo him, it; — **que** that which, what, which, as much as
lobero *see* **perdigón**
lobo *m.* wolf
loco, -a mad, crazy; **El Loco** *nickname; lit.*, the mad
locura *f.* folly, madness; **hacer —s** act foolishly, "cut up"
locutorio *m.* locutory, reception room
lodo *m.* mud
lógico, -a logical, natural
lograr obtain, succeed (in)
Logroño *capital of the province of the same name, situated on the south bank of the Ebro just west of the boundary of Navarre and south of that of Álava* (17,525 *inhabitants*)
lomo *m.* back
López *pr. n.*
López de Ayala, Pedro (1332–1407) *poet, soldier, statesman and satirist, author of "El rimado de palacio"; he was Chancellor of Castile under Henry III*
los them
losa *f.* stone, flat stone
Loyola, San Ignacio de (1491–1556) *founder of the Jesuit o der*
loz = **los**
lucero *m.* star, morning star
luceroz = **luceros**
lucir display; **—se** make a display, "show off"
lucha *f.* struggle, dispute, strife
luchar fight, struggle
luego soon, then, presently, afterwards, later
lugar *m.* place
lugarteniente *m.* lieutenant
lujoso, -a luxurious, elegant
lumbre *f.* fire, hearth
luna *f.* moon; — **de miel** honeymoon
lunar *m.* mole
Luschía *pr. n.*
luz *f.* light

Ll

llama *f.* flame
llamar call, name; knock; — **en (una casa)** knock *or* call at (a house); **—se** be called; **así se llama** that is its name
llano *m.* plain
Llanos: Paseo de los —, *a public promenade in the western*

part of the city of Estella along the river Ega which here forms a great bend
llanura *f.* plain, lowland
llave *f.* key
llegada *f.* arrival, coming
llegar come, arrive, reach; — **hasta (a)** reach, come to, succeed in, manage
llenar fill, fill out, draw up
lleno, -a full, covered
llevar carry (off), take; raise, win; send, draw, drive (*horses, etc.*); **—se** take (with one); **llévatelas a casa** take them home (with you); **—se la mano a la frente,** raise his hand to his forehead; — **la idea** have the idea, plan; **¿ cuánto tiempo llevo en la cama?** how long have I been in bed? **llevar** + *p.p.* = have: **llevamos el tiro roto** we have a broken tug
llorar weep, cry
llover rain
lloviznar drizzle
lluvia *f.* rain

M

machacar pound; **piedra machacada** crushed rock
macho *m.* male animal; — **cabrío** he-goat; *see* **Aquelarre**
madera *f.* wood, timber; substance; **de —,** wooden
madre *f.* mother
madrileño, -a Madrid, of Madrid
madrugada *f.* early morning; **de —,** early (in the morning)
maestro, -a masterly, master; **obra —,** masterpiece
magnificencia *f.* magnificence, splendor
magnífico, -a magnificent, splendid
magullar bruise
maíz *m.* corn
maizal *m.* cornfield
majestad *f.* majesty
majestuoso, -a majestic
majo, -a gay, gaudy, showy; *adv.* gaudily
mal bad, badly, ill
Málaga *seaport on the southern (Mediterranean) coast of Spain; population,* 112,916 (1920)
maldecir curse
maldito, -a accursed
maleficio *m.* injury, harm
maleta *f.* bag, valise
maleza *f.* brush, brambles
malhumorado, -a ill-humored
malísimo, -a very bad
malo, -a bad, poor, worthless; evil; embarrassing, painful; **lo — era que** the worst (of it) was that
maltrecho, -a *p.p. of* **maltratar** maltreated, injured, " in bad shape "
malviz *m.* thrush
mancha *f.* spot, stain
manchar spot, stain
mandar order, command, send
manera *f.* manner, way, means; **de tal —,** so much, in such a way; **de — que** so, so that; **de mala —,** roughly, rudely;

no ... en — alguna not by any means; **cada uno a su** —, each in his own way
manga *f.* sleeve
manifestar manifest, show
maniobra *f.* maneuver, movement (*of troops*); **de —s** at drill
maniobrar handle, wield
Manish *pr. n.*
mano *f.* hand; **si estaba en su** —, if it was in his power; **— a —**, alone, hand to hand, in single combat; **poner —s a la obra** set about one's task
manojo *m.* bunch, bundle
manso, –a meek, mild
manta *f.* blanket, covering
mantener maintain, keep
mantón *m.* shawl
manzano *m.* apple tree
maña *f.* ability, skill, cunning; **—s** tricks
mañana *f.* morning; *adv.* tomorrow; **muy de —**, very early (in the morning); **por la —**, in the morning; **— por la —**, tomorrow morning; **— a la —**, (*popular*) tomorrow morning; **pasado —**, day after tomorrow
mapa *m.* map
máquina *f.* machine
mar *m.* & *f.* sea
maravillosamente marvelously
marco *m.* frame, limit
marcha *f.* progress, growth, march, trip; *see* **orden**
marchar go, march, travel, walk, function; **—se** go away, start, march (on)
marfil *m.* ivory
marido *m.* husband
marinero *m.* sailor
marítimo, –a maritime, on the sea
mármol *m.* marble
marqués *m.* marquis
Marquesch *Basque form of* **marqués**
martillo *m.* hammer; **a —**, with (blows of) a hammer
Martín Martin
mas but
más more, rather; **— bien** rather; **no — que** only; **no — sino** only; **— bajo que alto** short rather than tall; **no —**, no longer; **dos marineros —**, two other sailors; **sin — ni —**, without more ado; **por — que** although, however much
matar kill; **—se** fight, kill each other
materia *f.* matter, material
matorral *m.* thicket
Maya *mountain pass and a village in northern Navarre a few kilometers north of Elizondo on the highway to Bayonne*
mayo *m.* May
mayor larger, older; **hijo —**, the oldest son
mayorazgo *m.* heir, first-born
mayoría *f.* majority, greater part
mazorca *f.* ear (*of corn*)
me me, myself, to me
mechero *m.* jet (*of gas*); light
media *f.* stocking; **hacer —s** knit
medicamento *m.* medicine

medicina *f.* medicine
médico *m.* doctor
medida *f.* measure, extent; **a — que** according as, in proportion
medio, —a half; **a —as** half; **en — de** in the middle of, through, in the midst of, between; **de en —,** middle; *n. m.* means; middle, medium, milieu; **— cuerpo** waist; *see* **noche; por en —,** through the midst
mediodía *m.* noon; south
meditación *f.* meditation
meditar meditate
mejor better, best; **el — día** one of these days, unexpectedly; **lo —,** the best thing, best
melancolía *f.* melancholy
melancólico, —a melancholy
melocotonero *m.* peach tree
memoria *f.* memory, memoir
mención *f.* mention
mendigo *m.* beggar
mendrugo *m.* crust
menor younger, less, lesser; **al por —,** at retail
menos less, except; **por lo —, al —,** at least; **no le gustaba —,** he liked equally; **ni mucho —,** far from it
mentira *f.* lie, falsehood
mentor *m.* mentor, counselor
menudo, –a small, tiny; **a —,** often
meramente merely, purely
Mercadal *name of a gate in Laguardia*
mercancía *f.* merchandise, goods
merecer deserve, receive
mes *m.* month
mesa *f.* table
metafísico, –a metaphysical
meter put; make (*of noise*); **—se en** enter
metódico, –a methodical
metro *m.* meter
mezcla *f.* mixture, mingling
mezclar mingle, mix; **—se** mingle
mi my
mí me; **por —,** for my part, as for me; **¡ a — !** help!
Micolade *pr. n.*
miedo *m.* fear; **tener —,** be afraid; **¿ qué — puedes tener?** how can you be afraid ?
miel *f.* honey; *see* **luna**
mientras while; **— tanto** meanwhile
Miguel Michael
mil thousand
militar *m.* soldier
militarmente in a military manner; **saludar —,** give a military salute
mina *f.* mine
ministro *m.* minister
minuto *m.* minute
mío, –a my, mine, of mine, my dear
miquelete *m. name applied to the irregular militia of the province of Guipúzcoa; it was originally used to designate the militia of Catalonia under their first leader Miquelot de Prats* (*17th century*)
mirada *f.* look, glance
mirador *m.* gallery, balcony

mirar look, look at, regard; **mira a ver** see
misa *f.* mass
miserable wretched; *n. m.* base *or* evil person, poor creature, wretch
miseria *f.* poverty, misery, wretchedness
misericordia *f.* mercy, charity, pity
misión *f.* mission
mismo, –a same, self, very; **hasta la —a presa** to the dam itself; **lo — da** it is all the same; **lo — . . . que** both . . . and, as well . . . as; **el — don Carlos** Don Carlos himself; **por lo —,** for the very reason (that)
misterioso, –a mysterious
místico, –a mystical, mystic
mitad *f.* half
mocetón *m.* (robust) youth
moda *f.* mode, fashion; **poner de —,** make fashionable; **ponerse de —,** become fashionable
moderno, –a modern
modesto, –a modest, simple
modo *m.* way, manner; **de tal —,** in such a way, so that
molde *m.* mould
molesto, –a annoyed
molido, –a exhausted, worn out
momento *m.* moment, instant; while, short time; **por —s** momentarily
monarquía *f.* monarchy
moneda *f.* coin
monja *f.* nun
monótono, –a monotonous
montaña *f.* mountain, highland(s)
montañés *m.* mountaineer
montar mount, ride (a horse); climb, get up; **— a caballo** go on horseback, ride horseback, get on one's horse
monte *m.* mountain, hill, woods; heap, pile
montón *m.* pile, heap
mora *f.* blackberry, mulberry
moreno, –a swarthy, dark
morir die
morrocotudo, –a hard, violent
mortandad *f.* slaughter, mortality
mortificado, –a mortified, disgusted
mortificar mortify, humiliate
Mosén (*a title of nobility now obsolete*) my lord, sir
mostrar show; **—se** show, appear, look
motivo *m.* motive, cause, reason, object
mover move, wag, nod; **—se** move, sway, stir, pass by
movible fleeting
movimiento *m.* movement, stir, motion
mozo *m.* youth, young man; servant
muchacha *f.* girl
muchacho *m.* boy
muchísimo, –a *superlative* of **mucho** very much; **—s** very many
mucho, –a much, a good deal (of), too much; **—s** many; **— tiempo** a long time
mueca *f.* grimace
muelle *m.* wharf, dock

muerte *f.* death
muerto, -a *p.p. of* **morir** dead, dull; *n. m. & f.* dead person, corpse
muestra *f.* demonstration
muga *f.* boundary stone *or* marker
mujer *f.* woman, wife
mula *f.* mule
mundo *m.* world; **nada del —,** nothing in the world, nothing at all; **todo el —,** everyone, everybody
munición *f.* munitions, supplies (*particularly of arms and ammunition*)
muñeca *f.* wrist
muralla *f.* wall
murió *see* **morir**
murmuración *f.* gossip, scandal
murmurador, -ora slanderous
murmurar mutter, murmur
muro *m.* wall
mus *m. a card game*
músico *m.* musician
muslo *m.* thigh
muy very

N

nacer be born
nación *f.* nation
nacional national
nacionalidad *f.* nationality
nada nothing, not anything; *adv.* (not) at all, never mind; **—, —,** all right, enough; **— más** nothing else, only; **no me he hecho —,** I have not hurt myself
nadar swim
nadie no one, nobody
nariz *f.* nose
narración *f.* account
nativo, -a native, natural
naturaleza *f.* nature, character
naturalmente naturally
Navarra *the province of Navarre* (*part of the ancient kingdom of the same name*) *lies east and south of the Basque provinces, its northern boundary being the French frontier; its population* (1920) *is* 329,875; *the capital is Pamplona; although most of Navarre belongs ethnologically and geographically to the Basque country, the people, with the exception of those who live in the mountain valleys, do not speak Basque but Spanish; they are a sturdy, brave and independent people*
navarro, -a Navarrese
necesidad *f.* necessity
necesitar (de) need
negar deny; **—se a** refuse
negocio *m.* business, affair, enterprise
negrito *m.* blackie, negro
negro, -a black; *see* **blanco**
nerviosidad *f.* nervousness, nervous energy
netamente purely
nevado, -a snowy, white; *n. f.* snowstorm
nevar snow
ni neither, nor
nido *m.* nest
niebla *f.* fog
nieto *m.* grandson
nieve *f.* snow
nihilismo *m.* nihilism, annihilation

nihilista nihilistic, destructive
ningún, ninguno, –a no, not any, none, no one, neither
niña *f.* girl, child
niñera *f.* serving maid, nursemaid
niño *m.* child, boy; **conocer de —,** know since childhood
Nivelle *a small river of southwestern France (Basses Pyrénées)*
no no, not; **ya lo sé que —,** I know it doesn't
nobleza *f.* nobility
noche *f.* night; **de —,** at night, by night; **media —,** midnight; **se hizo de —,** night fell; **por la —,** at night; **hasta bien entrada la —,** until late at night
nombrar name, appoint
nombre *m.* name; **en — de buenas razones** in the light of good arguments
nórdico, –a Nordic
norte *m.* north
norteamericano, –a North American
nos us, to us
nosotros, –as we
nota *f.* note
notar notice, note; **hacer —,** call attention (to)
notario *m.* notary
noticia *f.* notice, news; **—s** news
novela *f.* novel; **— picaresca** romance of roguery (*this type was born of the Spanish literature of the 16th and 17th century*)
novelesco, –a novelistic
novelista *m.* novelist
novia *f.* sweetheart, fiancée
novio *m.* lover, suitor, sweetheart; **—s** bride and groom, sweethearts
nubarrón *m.* dark (heavy) cloud
nube *f.* cloud
nubecilla *f.* little cloud
nublarse cloud, (*of the eyes*) glaze
nudo *m.* knot
nuestro, –a our; **—s** our side, our people
nueve nine
nuevo, –a new; **de —,** again
nuez *f.* nut; Adam's apple
numeroso, –a numerous
nunca never, ever
nutria *f.* otter

O

o or; **— . . . —,** either . . . or
obedecer obey
objetivo, –a objective
oblicuo, –a sidelong, oblique, slanting
obligación *f.* obligation, duty
obligar force, compel, oblige
obra *f.* work, task
obscuridad *f.* darkness, obscurity; **— psicológica** mental apathy
obscuro, –a dark, gloomy, obscure, humble; **a —as** in the dark
observar observe
obsesión *f.* obsession
obstáculo *m.* obstacle
obtener obtain, win
obtuvo *see* **obtener**

ocasión *f.* opportunity, occasion
Ocin beltz (*Basque for* **agujero negro**) *a pool in the river near Urbia*
ocultar hide, conceal (from)
ocupación *f.* occupation
ocupar occupy, hold; **—se de** concern oneself with
ocurrir happen, occur; **—se** occur; **¿ no se te van a — más que tonterías?** are you only going to think up foolish things? **lo ocurrido** what had happened
ochenta eighty
ocho eight; **a los — años** at eight years of age; **hace — días** a week ago
odiar hate, detest
odio *m.* hate, hatred
ofender offend, give offense to
oficial *m.* workman, officer
oficio *m.* office, position, service, vocation; **— de difuntos** service for the dead
ofrecer offer
Ohando *pr. n.*
oír hear, listen; **— hablar de** hear about, hear anyone speak of
ojo *m.* eye
ojoz = **ojos**
ola *f.* wave
Olaberri *name of a mountain pass between Navarre and France*
olfatear sniff, smell
olivar *m.* olive grove
olor *m.* smell, odor
olvidar forget; **—se de** forget; **se me ha olvidado** I have forgotten
olvido *m.* forgetfulness
once eleven
ondear wave
ondulante undulating
Oñate *town in the province of Guipúzcoa, situated near Vergara (population,* 2489); *it was formerly the seat of a small university called Colegio Mayor y Universidad de Sanctu Spiritus*
operación *f.* operation
opinar think, have an opinion; **¿ qué opinas?** what is your opinion?
oponerse oppose, object
oposición *f.* opposition
optar decide; **— por** decide in favor of
optimista optimistic
opuesto, -a opposite
orden *m. or f.* order, kind, nature; **— de marcha** order to start
ordenado, -a ordered, steady, orderly
ordenar order; **—se** take (holy) orders, be ordained
organizar organize
orgulloso, -a proud, haughty
orientar orient; **orientada al mediodía** facing the south
origen *m.* origin; **dar —,** originate
originalidad *f.* originality
orilla *f.* bank (*of a river*), shore
oro *m.* gold
os you, to you
osadía *f.* daring, boldness

oscilante swinging, swaying
oscilar swing
Ospitalech *pr. n.*
ostentar show, display
otro, –a other, another, the other; — **tiempo** former times, old times
ovillo *m.* ball
Oyarzun *a village of* 651 *inhabitants in the northeastern part of the province of Guipúzcoa between Irún and San Sebastián*
oye, oyendo *see* **oír**
oyente *m.* hearer, listener
oyó *see* **oír**
Oyón *a village of* 996 *inhabitants in the province of Álava, east of Laguardia and north of Logroño*

P

pacífico, –a peaceful
pacotilla *f.* bundle, profit, fortune
padre *m.* father
paga *f.* pay
Páganos *a village of* 219 *inhabitants in the province of Álava near Laguardia;* **Puerta de —**, *a gate in the city wall of Laguardia through which runs the road to Páganos*
pagar pay
pagaré *m.* promissory note
página *f.* page
país *m.* country
paisaje *m.* landscape
paisano, –a civil, rural; *n. m. & f.* civilian, countryman
paja *f.* straw
pala *f.* baker's shovel, peel, shovel
palabra *f.* word, promise
palacio *m.* palace
palidecer turn pale
pálido, –a pale
paliza *f.* beating
palo *m.* stick, wood, lash
paloma *f.* dove; — **torcaz** wild pigeon
palsa = **falsa**
Pamplona *capital of the province of Navarre, a beautiful city of* 28,595 *inhabitants situated somewhat north of the center of the province on the river Arga; its beauty and cleanliness have won for it the nickname "tacita de plata" (the silver cup); it contains many artistic and historical monuments, among them a splendid Gothic cathedral; it was garrisoned by the Liberals during the second civil war and, though besieged by the Carlists, held out against them*
pan *m.* bread
panadería *f.* bakery
panadero *m.* baker
Pancorbo (*or* Pancorvo) *a town in the province of Burgos, southwest of Miranda de Ebro* (1446 *inhabitants*)*; the mountains by which it is surrounded, mentioned in the text, are properly called the Obarenes*
pánico *m.* panic, terror
pantalón *m.* trousers
pañuelo *m.* handkerchief

Papa *m.* Pope
papel *m.* paper
paquete *m.* packet
par *m.* couple, two
para for, in order to, to, toward; **— que** in order that; **uno — otro** one against the other; **— mí** in my opinion, for me
paradero *m.* stopping-place, whereabouts
parado, –a stopped, inactive, motionless
Paradox *pr. n.*
paralítico, –a paralytic
parapetarse throw up breast-works, entrench
parar stop, lodge; **no paraba** he was continually " on the go "
pardo, –a gray, drab, brown
parecer seem, appear; **lo que te parezca** what you think best; **al —,** apparently; **¿ qué te ha parecido?** what do you think of? **—se a** resemble; **por —se las obras** because of the fact that the works are like
pared *f.* wall
parentesco *m.* relationship
parezca *see* **parecer**
pariente *m.* relative
parlamento *m.* parliament, parley; *see* **bandera**
paro *m.* end, cessation
párpado *m.* eyelid
parra *f.* vine
parte *f.* part, side, party; *see* **poner; por (en) todas —s** everywhere; **por la — de Navarra** by the route of Navarre; **por una —,** on the one hand; **por otra —,** on the other hand, moreover; **dar —,** inform, advise; **formar — de** join; **seguir a todas —s** follow anywhere; *see* **atravesar; por esta —,** in this direction *or* vicinity
participar participate, share; **— de** share in
partícula *f.* particle, bit
particular, particular, specific
partida *f.* game; lot, shipment; faction, party, band
partidario *m.* adherent, supporter
partido *m.* match, game, party; **llevar el — al vuelo** win with a rush
partir start, set out
pasado, –a past, last; **el (lo) —,** the past; *see* **mañana**
pasante *m.* assistant teacher
pasaporte *m.* passport
pasar pass, go, get through, put through; change, spend; happen, take place; elevate, promote; come in, conduct; **no pasaba el coche** the coach could not get through; **¿ qué pasa ?** what is it? what's the matter?; **¿ qué le pasa ?** what's the matter with you?
pasear(se) walk, stroll; send
paseo *m.* public promenade, paseo
pasillo *m.* passage, corridor
pasión *f.* passion
pasivamente passively
pasividad *f.* passivity
pasivo, –a passive
paso *m.* step, pace, way, progress, pass, passage; **a pocos**

—s a few steps away; **salir al —,** come to meet; *see* **plantar; hombre de —,** bird of passage (*figurative*); **seres de —,** transitory beings
pasta *f.* paste; **de buena —,** of good disposition
pastor *m.* shepherd
pata *f.* foot, leg
patada *f.* stamp (*of the foot*)
patata *f.* potato
patharra (*Basque*) spirits
patibulario, –a terrifying
pato *m.* duck
patriota patriotic; *n. m. & f.* patriot
patrón *m.* pattern; principal, chief; master (*of a ship*)
patrona *f.* landlady
patrulla *f.* patrol
paz *f.* peace
peculiar peculiar, characteristic
peculiarísimo, –a very individualistic, peculiar (to oneself)
pedazo *m.* piece, bit; **hacerse —s** come to pieces
pedir ask (for), beg
pedrada *f.* blow (*or* shot) with a stone; **comenzar a —s con** begin to throw stones at, attack with stones
Pedro Peter
pedrusco *m.* large (*or* rough) stone
pegar strike, beat, thrash; set; **— un tiro** shoot; **—se** fight
pelea *f.* battle
pelear fight, contend with (*or* against)
peligro *m.* danger, risk
peligroso, –a dangerous, risky
pelo *m.* hair
pelota *f.* ball, handball (*see note to page* 21, *line* 7); **juego de —,** game of handball; handball court
pelleja *f.* skin, life
Pello Joshepe *dialectical for* **Pedro José;** *the name of a song dealing with one of the "guerrilleros" of the Napoleonic War*
pena *f.* pain, grief, sorrow; **a duras —s** with great difficulty
péndulo *m.* pendulum
penetrar penetrate
penoso, –a painful
pensamiento *m.* thought
pensar think (of), intend, consider; **— en** think of
Peñacerrada *village of* 293 *inhabitants in the province of Álava north of Laguardia; it was the scene of a battle in the first Carlist war* (*June* 22, 1833) *in which the town was captured after a siege by the Liberals under Espartero*
Peñaplata *mountain on the frontier between France and Navarre near the village of Zugarramurdi* (*see note to page* 119, *line* 17)
peor worse, worst
Pepito *fam. dim. of* **José** Joe
pequeño, –a small, little; **desde —,** from early childhood
pera *f.* pear
peral *m.* pear tree
perder lose, ruin, waste
pérdida *f.* loss
perdido, –a lost, wasted,

ruined; *n.m. & f.* abandoned person
perdigón *m.* shot; **—es loberos** buckshot
perdón *m.* pardon
perdonar pardon, forgive
perfección *f.* perfection
perfecto, -a perfect, finished
perfil *m.* profile, outline; **de —,** from the side, in profile
perfumar perfume, scent
periódico *m.* newspaper, periodical
periodista *m.* journalist
perla *f.* pearl
permanente permanent
permitir permit, allow
pero but
perorar perorate, make speeches
perpetuo, -a perpetual
perplejo, -a perplexed
perro *m.* dog; **de —s** beastly
persecución *f.* persecution, pursuit
perseguidor *m.* pursuer
perseguir pursue
persona *f.* person, somebody; **—s** persons, people; **buena —,** worthy person
personaje *m.* personage, character
personalidad *f.* personality, person; **identificar su —,** identify you
personificar personify
pertenecer belong
pervertir pervert
pesadamente heavily
pesado, -a heavy, tiresome
pesar weigh
pesar *m.* grief, sorrow; **a — de** in spite of
pescante *m.* box *or* driver's seat
pescar fish
pesimismo *m.* pessimism
pesimista pessimistic
peso *m.* weight; **llevar mucho —,** be heavily laden
petición *m.* petition; **a — de** at the request of
petróleo *m.* petroleum
pez (*pl.* **peces**) *m.* fish
picaresco, -a picaresque
pícaro *m.* rogue, rascal, picaresque hero
pidiendo *see* **pedir**
pie *m.* foot; **a —,** on foot
piedra *f.* stone
piel *f.* skin, hide
pierna *f.* leg; **por debajo de la —,** with one hand tied behind me
Pilar: Nuestra Señora del —, *a profoundly venerated image of the Virgin which stands upon a marble column in the Basilica del Pilar in Zaragoza; the tradition is that the Mother of God appeared to St. James at this spot in the year* 40 A.D. *and left with him this image of herself and that the Apostle built a chapel to contain it; the present temple is of the* 17*th century*
pino *m.* pine
pintar paint
pintor *m.* painter
pintoresco, -a picturesque
pipa *f.* pipe
Pirineo *m.* Pyrenees
piropo *m.* compliment, flattery
pisada *f.* step, footstep; tramp
piso *m.* floor

pista *f.* trail, track
pistola *f.* pistol
pizpireta (*used only in fem.*) lively, bright
placer *m.* pleasure
placer please
planchar iron, press smooth
plano *m.* plane; map, plan
plantar plant; **—se** take up a position, station oneself; **—se junto a** catch up with; **se plantaba a mi paso** got in my way
plata *f.* silver
plaza *f.* square
plazuela *f.* square
pleuresía *f.* pleurisy
plomizo, –a leaden
plomo *m.* lead; **de —,** leaden
pluguiese *see* **placer**
población *f.* town, population
poblar fill, people
pobre poor; **¡ — !** poor fellow
pobreza *f.* poverty
poco, –a little, a little, a little bit, but little; *adv.* little, not very, shortly; **— communicativo** uncommunicative; **—s** few; **antes de —,** before long; *see* **hacer; correr —,** to run slowly; **— a —,** little by little, gradually
poder be able, can, may; **¿ se puede ?** may I come in?; **— menos** help; **pudo conciliar el sueño** he managed to go to sleep; *n. m.* power
poderoso, –a powerful
podrido, –a rotten, dead (*of trees*)
podrir decay, spoil, rot
poesía *f.* poetry, verse
polígono *m.* polygon
político, –a political, temporal
poltrón *m.* poltroon, coward
polvoriento, –a dusty
poner put, set, put in, put on, affix; **—se** become; **—se los anteojos** put on his glasses; **—se a** begin; **—se enfermo** fall ill; **— de su parte** make use of, have recourse to; **— delante** hold up to (*as a model, etc.*); **— en acción** activate
popularidad *f.* popularity
por for, by, through, at, along, up and down, with, from, because of, for the sake of, in favor of; **— si** in case; **— mí** so far as I am concerned; **cuatro juegos — nada** four games to nothing; **estar — mí** be well-disposed toward me, like me
porción *f.* lot, (large) number, part, crowd; **otra — de cosas** a lot of other things
porque because
por qué why
portal *m.* gateway, entrance, door
portezuela *f. dim. of* **puerta** door (*of a coach*)
porvenir *m.* future
posada *f.* tavern, inn
posadera *f.* landlady
posadero *m.* innkeeper, host
poseer possess, own
posible possible; **en lo —,** as far as possible; **con la — solemnidad** with full solemnity
posición *f.* position, situation

posma *m. & f.* dull *or* stupid person, bore
post (*Latin*) after; *see* ***funera***
poste *m.* post
posterior later
postillón *m.* postilion
postura *f.* posture, position
práctico, -a practical
prado *m.* meadow
Praschcu *pr. n.*
precio *m.* price
precipicio *m.* precipice
precipitarse dash, rush
precisamente precisely, accurately, scrupulously
preciso, -a necessary
predilecto, -a favorite
preferencia *f.* preference
preferir prefer
pregunta *f.* question
preguntar ask (*a question*), ask one's way, inquire; **—se** ask oneself, wonder
prender arrest, seize
preocupación *f.* preoccupation, prejudice, preconception
preocupar preoccupy, absorb
preparar prepare, plan, make *or* get ready; **—se** get ready, prepare
preponderancia *f.* preponderance, preëminence
pre-romano, -a pre-Roman
presa *f.* dam
prescripción *f.* prescription, order
presencia *f.* presence, bearing
presenciar witness, be present at
presentar present, introduce; **—se** appear, present oneself
presentir foresee, have a foreboding
presidio *m.* prison, jail
presidir preside; **— el duelo** be chief mourner (*at a funeral*)
presintió *see* **presentir**
preso, -a imprisoned; **estar —,** be a prisoner
prestar loan, lend; **— atención** give heed, listen
presteza *f.* speed, quickness; **con —,** swiftly
presto, -a ready
pretender court, woo, seek, wish, try
Pretendiente *in* 1873 *the Pretender to the Spanish throne was Carlos María de los Dolores de Borbón y Austria-Este, head of the Carlist cause and known to his supporters as Carlos VII* (1848–1909); *he was the grandson of Carlos María Isidro de Borbón, brother of Fernando VII, and the first Pretender; he was of course born and educated outside of Spain*
pretensión *f.* pretention
pretextar pretend, allege as a pretext
pretexto *m.* pretext, excuse
primavera *f.* spring
primer first
primeramente first
primero, -a first; **uno de los —s** one of the best
primitivamente originally
primitivo, -a primitive, original
principal principal, main; **piso —,** first floor (*not the ground*

floor but that reached by ascending, usually, one flight of stairs); *n. m.* chief, principal
principio *m.* beginning; **a —s** at the beginning; **al —,** at first
prisa *f.* haste; **de —,** rapidly, hastily
prisionero *m.* prisoner; **darse —,** surrender
privilegiado, -a privileged, favored
probable probable, likely; **es lo más —,** that is the most probable (explanation)
probablemente probably
probar prove, test, try; **— de** try
problema *m.* problem
proceder proceed, come
procedimiento *m.* procedure, method
proclamación *f.* proclamation, declaration
producir produce, bring on
producto *m.* product
profesar profess; **— odio** feel hatred
profesión *f.* profession
profesional professional
profesor *m.* teacher
profundamente profoundly, deeply
profundidad *f.* depth, profundity
profundo, -a profound, deep
progreso *m.* progress
prohibir prohibit, forbid
prometer promise
pronto soon, quickly; **de —,** suddenly; **por de —,** for the present; **lo más — que puedas** as quick as you can; **tan — . . . como** now . . . now
propiamente properly; **— dichos** properly so-called
propiedad *f.* property; **cochero en —,** regular coachman *or* stagedriver (*the opposite of* **cochero interino**)
propietario *m.* landlord, proprietor
propina *f.* tip, gratuity; **de —,** to boot, for good measure
propio, -a own, same, of one's own; *see* **amor**
proponer propose, suggest; **—se** seek, intend, try (to)
propósito *m.* purpose, intention
propusieron *see* **proponer**
proseguir continue, go on
prosperar prosper
protagonista *m.* protagonist
protección *f.* protection
proteger protect, patronize, support
protesta *f.* protest
protestar protest
providencial providential, divinely inspired
provincia *f.* province
próximamente approximately
proximidad *f.* proximity
próximo, -a near, next, close at hand, recent
proyecto *m.* plan, project
prudencia *f.* prudence
prudente prudent
prudentemente prudently
psé pshaw
psicología *f.* psychology
psicológico, -a psychological

público, -a public; *n. m.* public
pude, pudiese *see* **poder**
pudiente influential, rich; important
pudre *see* **podrir**
pueblecillo *m. dim. of* **pueblo** little town, hamlet
pueblecito *m. dim. of* **pueblo** village, hamlet
pueblo *m.* town, people
puente *m. or f.* bridge
puerta *f.* door, gate
puerto *m.* (mountain)pass; (sea)port
pues then, well, well then; — **bien** well now, now then
puesto *p.p. of* **poner** placed; — **que** since, although
pulido, -a polished, shining
pulso *m.* pulse; **tomar el —,** feel one's pulse; **a —,** by main force, hand over hand
punta *f.* point, corner, end
puntapié *m.* kick; **a —s** kicking, with kicks
puntería *f.* aim, marksmanship; **hacer —,** aim, take aim
puntiagudo, -a sharp pointed, prominent
puntilla *f.* lace, piece of lace; **de —s** on tiptoe
punto *m.* point, place; — **fuerte** important figure; **en —,** exactly
puñetazo *m.* blow (*with the fist*), punch
puro, -a pure, clear, unclouded
pusieron, puso *see* **poner**
Puy: Nuestra Señora del —, *the name of a famous shrine on a hill just north of the city of Estella; the image of the Virgin which is there venerated was discovered by some shepherds about the year* 1082; *it is the most celebrated shrine of Navarre*

Q

que than, that, for; **a —,** until, in order that
que who, which, that
qué what; **¿ y — ?** and what of it? **¿ — sé yo ?** how do I know?
quebradero *m.:* — **de cabeza** problem, hard task
quedar remain, be left, become, be, stand; **—se** remain; *see* **recorrer; se me queda dentro** remains inside me; — **muerto** die; — **arrestado** be put under arrest
queja *f.* complaint
quejar(se) complain, lament
quejumbroso, -a complaining, plaintive
quemar burn
querer wish, love, want, be willing; *often in the past absolute* = try; — **decir** mean; **¿ qué quiere usted ?** what do you expect?
querido, -a dear
quien who, he who, the one who
quién who; **de —,** whose
quiere *see* **querer**
quieto, -a still, quiet, calm
quietud *f.* quiet, repose
química *f.* chemistry
quince fifteen
quinientos, —as five hundred

quisiera, quiso *see* **querer**
quitar take away, remove, take off, deprive of; **¡ quítate de delante !** get out of my sight!
quizá(s) perhaps

R

rabia *f.* rage, anger, fury; **con** —, furiously
rabiar rage, be angry *or* furious
racimillo *m. dim. of* **racimo** cluster
rama *f.* branch
ramo *m.* bouquet, bunch
rampante rampant, rearing
rancho *m.* ration, mess; **¿ no querrá usted — ?** don't you want to share the (prisoners') mess?
rapidez *f.* swiftness, speed; **con** —, swiftly, rapidly
rápido, –a swift, hasty
rapiña *f.* prey; **hombre de** —, plunderer, one who preys on society
rareza *f.* strangeness, uncommonness
raro, –a strange, rare
rasgo *m.* trait, feature
raya *f.* mark (*specifically a term used in the game of pelota to denote a horizontal line painted on the wall below which the ball must not strike*); **a —s** striped
rayar (en) border (upon), approach
rayo *m.* ray, beam
raza *f.* race
razón *f.* reason, argument, account; **dar** —, give information
reacción *f.* reaction
realidad *f.* reality
realismo *m.* realism
realista realistic; *n. m.* royalist
realizar accomplish, realize
realmente really
rebelde rebellious
rebeldía *f.* rebellion
reblandecido, –a soft
recadista *m.* messenger, messenger boy
recetar prescribe
recibir receive, get
recibo *m.* receipt; **bajo** —, taking a receipt
recién *apocopated form of* **reciente; los — casados** the newly married couple
reciente recent
reciprocidad *f.* reciprocity; **en buena** —, in just reciprocity
recitar recite
recoger gather, receive, take (in); catch, pick up; remove; furl (*of sails*)
Recoleta *pr. n. m.* Recollect (*member of a branch of the Franciscan Order which follows a strict observance*); **Convento de —s** *a convent of this order just outside of the city of Estella*
recomendación *f.* recommendation; request, charge
recomendar recommend, charge; direct
reconcentrado, –a self-centered, intense
reconciliarse be reconciled

reconocer recognize, admit; examine
reconocimiento *m.* reconnoissance
recordar remember, recall; **—se** be remembered, come to mind
recorrer traverse, pass (through); **quedaba por —,** there remained to be traversed; **— a pie** tramp (walk) through
recorrido *m.* trip, expedition
recto, –a straight
recuerdo *m.* souvenir
recuperar recover
recurso *m.* resource, expedient
rechinar creak
red *f.* net
redención *f.* redemption
redondito, –a *dim. of* **redondo** round, chubby
redondo, –a round
reducir reduce; **—se a** be reduced to, amount to
reemplazar replace, substitute, change
referir tell; **—se** refer
reflejar reflect
reflexionar reflect, consider
reforzar strengthen
refugiado, –a in hiding; **estar —,** be in hiding, take refuge
refugiarse take refuge
refugio *m.* refuge
refunfuñar grumble, growl
regazo *m.* lap
regimiento *m.* regiment
registrar examine, search
regla *f.* rule; **en —,** in proper form, correct
regocijado, –a happy, jovial
regordete stout, fat
regular regular, fairly good; **bastante —,** pretty good
reimpreso *see* **reimprimir**
reimprimir reprint
reinar reign, rule
reino *m.* kingdom
reír laugh; **—se** laugh
reja *f.* grating
relación *f.* relation, narrative; **en — con** connected with
religioso, –a religious
reloj *m.* watch
remangar roll up; **— el brazo** roll up one's sleeves
remanso *m.* still pool
rematar play (out), carry through
remedio *m.* help, remedy; **no hay más —,** there is no help for it; **no había más — que** there was no other way but; **no tuvo más — que** he could not do otherwise than
remordimiento *m.* remorse
remoto, –a remote; **en tiempo —,** long ago, in bygone times
remover stir, disturb
rencor *m.* animosity
rendido, –a exhausted, worn out; weak
rendirse surrender
renta *f.* income
renunciamiento *m.* renunciation
renunciar (a) renounce
repartir divide, distribute
repertorio *m.* repertory
repetir repeat
replegar double back, retire; **—se sobre sí** retire within oneself

replicar reply, answer
reponer reply
reposado, –a deliberate, quiet
reposar rest
representar represent, stand for
representativo, –a representative
réprobo *m.* reprobate
reprochar reproach, reprove
república *f.* republic
republicano, –a republican
repugnante repugnant
repugnar be repugnant (to)
repulsivo, –a repulsive, repugnant
repuso *see* **reponer**
reputación *f.* reputation
resabio *m.* habit, trait
resbaladizo, –a slippery
resbalar(se) slip, slide
resignación *f.* resignation
resistencia *f.* resistance; **tener —,** be strong *or* enduring
resistir resist, stand one's ground; **—se** resist
resolución *f.* resolution; **tomar una —,** make a decision
resolver decide, settle
respecto *m.* respect; **— a** as for, with respect to
respetable respectable, worthy
respeto *m.* respect
respirar breathe (deeply)
resplandor *m.* light, glow
responder answer, reply
restablecer reëstablish
restallar crack (*a whip*)
resto *m.* remainder, remnant, rest
resultar result, turn out
resurrección *f.* resurrection
retén *m.* reserve, detachment
retener restrain, hold back *or* in check, keep
retirada *f.* retreat
retirar retire, withdraw, carry (take) back; **—se** retire
retorcer twist
retornar return, go *or* come back
retrato *m.* portrait
retroceder draw back, go back, retire
reunido, –a united, together
reunión *f.* union, combination, compendium, meeting
reunir(se) unite, get together, assemble; **—se con** join; **estábamos reunidos** we were together
reverendo reverend; **—s padres** *see note to page* 73, *line* 6
revés *m.* reverse
revolver turn, return, turn over; **revolvió sus notas** ran through his notes
revuelto, –a *p.p. of* **revolver** entangled, in a jumbled mass
rezagado, –a belated
rezar pray
riachuelo *m.* brook
ribera *f.* river bank; **Ribera del Ebro** *region made up of the lowlands along the Ebro river*
ribereño, –a lowlander; *specifically* one from **Ribera del Ebro**
rico, –a rich
ridículo, –a ridiculous
riesgo *m.* risk
rigor *m.* rigor, severity; **en —,** strictly

rincón *m.* corner
río *m.* river
risa *f.* laughter; **le dieron tal —,** they amused him so much
rivalidad *f.* rivalry
robar steal, rob
roble *m.* oak
robo *m.* robbery, theft, stealing
roca *f.* rock
rodar roll, wander
rodear surround, go (march) around
rodilla *f.* knee; **¡ de —s !** on your knees!
roer gnaw, wear *or* cut away
rogar ask, beg
rojizo, –a reddish
rojo, –a red, ruddy
Rolando (French *Roland*) *a semi-legendary French hero, nephew of Charlemagne and one of his twelve peers, killed at the battle of Roncesvalles (French Roncevaux) in* 978; *he is the hero of the "Chanson de Roland," the earliest and the most beautiful of the French epics*
Roma Rome
romanizar romanize
romano, –a Roman
romántico, –a romantic
romper break, tear, wear out
ron *m.* rum
Roncesvalles (French, *Roncevaux*) *name of a mountain pass and a small mountain village in northern Navarre close to the French border; the name is famous because at this point according to the legend the rearguard of Charlemagne under Roland was destroyed by the Basques (August* 15, 778)
ronda *f.* night patrol, watch
ropa *f.* clothes
ropavejero *m.* dealer in second-hand clothing
rosa *f.* rose; *as pr. n.* Rose
rosal *m.* rosebush
rosario *m.* rosary
Rosita *dim. of* **Rosa**
rostro *m.* face
roto, –a *p.p. of* **romper** broken
rozagante pompous, haughty
Rúa: Calle de la —, *a street in Estella leading east from the Plaza de San Martín to the river Ega*
rubio, –a blond
ruborizarse blush, flush
rudamente roughly, brusquely
rudo, –a rough, rude, hard
rugir roar, shout
ruido *m.* noise
ruiseñor *m.* nightingale
rumor *m.* rumor, sound
ruso, –a Russian

S

sábado *m.* Saturday
saber know, know how, be able; learn; find out
sabio *m.* sage, wise man
sacar take (get, pull) out, remove, bring out, get, put out; **sacando el cuerpo por la ventanilla** leaning out of the window
saco *m.* sack, bag

sacristán *m.* sexton; (meddling) fellow (*slang*)
saeta *f.* arrow, bolt (*from a crossbow*)
Saint Jean Pied de Port *picturesque town of* 1,638 *inhabitants in southwestern France* (*Basses Pyrénées*) *near the frontier of Navarre; it takes its name from the circumstance that it is situated at the foot of the pass of Roncesvalles which was formerly one of the chief ways of communication between France and Spain; the town belonged to Spain until* 1659 *after which it became the capital of French Navarre*
sal *f.* salt, wit, cleverness; **con —**, witty
sala *f.* room, sitting room *or* parlor
salida *f.* exit, way out; **dar —**, give expression
salir (**de**) go (*or* come) out, get out, leave; rise (above), turn out; come from; **¿ de dónde ha salido así?** how did he come to be like this ? **de ésta no sale usted** you won't get over this; **¡ salga usted !** step out ! (*to fight*)
saltar jump, jump (over, down *or* out)
salteador *m.* highwayman, burglar
salto *m.* jump, leap; **en cuatro —s** in a few bounds, quickly
saludar salute, greet
saludo *m.* salutation, bow
salvador *m.* savior, protector
salvaje wild
salvar save
salvo except
salvoconducto *m.* safe-conduct
San *see* **Santo**
Sánchez *pr. n.*
sangre *f.* blood
sangriento, –a covered with blood, bloody
sanguinario, –a bloody, cruel; **seres —s** carnivora, beasts of prey
San Ignacio de Loyola *the sanctuary of Loyola is in the center of Guipúzcoa, in the valley of Iraurgui, near Azpeitia; it is a monastery of the Jesuit order and was the birthplace of their founder San Ignacio de Loyola* (1491–1556)
San Juan (**Bautista**) *church in the city of Estella founded by Sancho el Mayor*
San Juan de Luz (French *St. Jean de Luz*) *a seaport and winter resort in southwestern France* (*Basses Pyrénées*) *at the mouth of the river Nivelle* (5,372 *inhabitants*)
San Juan del Pie del Puerto *see* **Saint Jean Pied de Port**
San Nicolás: Calle de —, *street in the southern part of the city of Estella*
sano, –a sound, sane
San Sebastián *capital of the province of Guipúzcoa, a seaport and fashionable summer resort* (61,774 *inhabitants*)
Sansol *a village of* 338 *inhabitants on the Estella-Logroño highway in Navarre.*

Santiago *name of a gate and a square in the northwestern limits of the city of Estella*
santo, –a holy; *n. m. & f.* saint
saña *f.* rage, passion
sapo *m.* toad
saquear sack, plunder
sarcasmo *m.* sarcasm
sargento *m.* sergeant
sartén *f.* frying-pan
satisfacción *f.* satisfaction
satisfacer satisfy
satisfecho, –a *p.p. of* **satisfacer** satisfied, with satisfaction
saúco *m.* alder (*or* elder)
sazón *f.* season, time; **en esta —**, at this time
se himself, herself, itself, themselves, yourself, yourselves
sé *see* **saber**
secar dry
seco, –a dry, lank
secretario *m.* secretary
secreto *m.* secret
secuestrado, –a sequestrated; **llevar —**, carry off by force
sedentario, –a sedentary
seducción *f.* seduction
Segismundo *a character in Calderón's drama "La vida es sueño"*
seguida: en —, at once, immediately, presently
seguir follow, continue, keep on; remain; **— adelante** progress, keep on; **sigo durmiendo** I am still asleep
según according to, as
segundo, –a second
seguridad *f.* assurance; security, safety; **tener la —**, be sure
seguro, –a sure, safe, certain; **de —**, certainly, for certain
seis six
selección *f.* selection
seleccionar select
selecto, –a selected, well chosen
sello *m.* stamp, seal
semana *f.* week; **a la — de tratamiento** after a week of treatment
sembrado, –a scattered thickly, dotted
sembrar plant
semejante such (a), this
semejanza *f.* resemblance
semiaristocracia *f.* semi-aristocracy
semi-bárbaro, –a semi-barbarous
sencillamente simply
sencillo, –a simple
senda *f.* path
sendero *m.* path
sensación *f.* sensation
sensitivo, –a sensitive
sensualidad *f.* sensuality
sentadito, –a *dim. of* **sentado** sitting (down), seated
sentado, –a seated, sitting
sentar fit, become, seat; **—se** sit, sit down
sentido *m.* sense, consciousness, meaning
sentimental *m.* sentimentalist
sentimiento *m.* feeling, emotion, sentiment
sentir feel, hear; be sorry, regret; **—se** feel
señal *f.* signal, sign
señaladamente conspicuously, especially

señalado, –a notable, great, significant
señalar point (to), point out, indicate
señor *m.* sir, lord, gentleman, Mr.; His Majesty; **Nuestro Señor** Our Lord
señora *f.* lady, wife, Mrs., Madam
señorita *f.* young lady, Miss
señorito *m.* (young) gentleman, sir, Mr., (young) master
separado, –a separate(ly), apart
separar separate; **—se de** leave, depart from
ser be; **a no — que** unless; *n. m.* being, creature, animal
serenar calm, sober
serenidad *f.* calmness, serenity, coolness
sereno, –a calm, cool, serene, sober
sereno *m.* night watchman
serie *f.* series, succession
serio, –a serious
sermonear lecture, reprove
servir serve, be of use (to), be useful, be good
seta *f.* mushroom
seto *m.* hedge, enclosure
sexo *m.* sex
si if, whether, why
sí yes; **eso —,** that is true
sí himself (*etc.*); **— mismo** himself
sidra *f.* cider
sidrería *f.* tavern (*particularly a shop where cider is sold*)
siempre always; **para —,** forever; **— que** whenever
siesta *f.* nap, siesta
siete seven
siglo *m.* century
significación *f.* significance, meaning
siguiente following, next; **al día —,** the next day
siguió *see* **seguir**
silbar whistle; **no se silba** you must not whistle
silbido *m.* whistle
silencio *m.* silence
silencioso, –a silent
silvestre wild
silla *f.* chair, saddle
simpatía *f.* liking, sympathy
simpático, –a likeable, sympathetic
simpatizar sympathize
simultáneamente simultaneously
sin without; **— que** without; *see* **fin**
sincero, –a sincere
singularidad *f.* peculiarity
siniestro, –a sinister, vicious, dangerous
sino but, except; **— que** but (that), except (that); **no sólo . . . — que** not only . . . but also
sintético, –a synthetic
sintió *see* **sentir**
sirven *see* **servir**
sitiar besiege, invest
sitio *m.* place, space, site, room
situación *f.* situation, position
soberbio, –a proud, arrogant, superb
sobornar bribe
sobra *f.* excess; **—s** food left over from a meal
sobre upon, on, concerning, about; **— todo** especially

sobre *m.* envelope
sobremesa *f.* dessert; **hablar de —,** talk after dinner, sit around the table talking
sobresaltar startle
sobrino *m.* nephew
sociabilidad *f.* sociability
sociedad *f.* society
Socoa (French *Le Socoa*) *small French village built on the peninsula of the same name which forms part of the harbor of San Juan de Luz.* (*q.v.*)
sofá *m.* sofa
sofocante suffocating
sol *m.* sun, sunlight
solamente only
solar ancestral; *n. m.* site, house
solariego, -a noble, ancient
soldado *m.* soldier
solemnidad *f.* solemnity; **con gran —,** very solemnly; *see* **posible**
soler be accustomed, be wont; **solía decir** used to say
solidez *f.* solidity, strength
solitarío, -a solitary, lonely
solo, -a alone; **a —as** alone
sólo only
soltar let go, set free, loose; **—se** come *or* get loose
soltera *f.* unmarried woman, spinster
sollozar sob
sollozo *m.* sob
sombra *f.* shadow
sombrío taciturn, surly
someter yield; **—se** yield, surrender
sonar sound, resound
sonido *m.* sound
sonreír smile
sonriente smiling(ly), happy
sonrisa *f.* smile
sonrosado, -a ruddy
soñador *m.* dreamer, idealist
soñar (**con**) dream (of); **— con que** dream that
soportal *m.* portico, arcade
soportar endure, bear
Soraberri *pr. n.*
Sorbona the Sorbonne (*University of Paris*)
sordidez *f.* avarice
sorprender surprise, take by surprise, discover, learn
soso, -a silly ; **esa —a de la Ignacia** that silly Ignatia
sospecha *f.* suspicion; **entrar en —s** grow (become) suspicious
su his, her, your, its, their
suave gentle, soft
suavemente gently
subdividirse subdivide
subir climb, go up, mount, rise; **—se a** climb upon
súbito, -a sudden; **de —,** suddenly
subjetivismo *m.* subjectivity
subjetivo, -a subjective
subordinación *f.* subordination, submission to authority
subsistir subsist, exist
sucesivamente successively
suceso *m.* event, incident, happening
sudeste *m.* sou'wester (*sailor's term for a certain type of hat*)
suegro *m.* father-in-law
suelo *m.* ground, floor; face (*of tombstones*); **— de los bancos** floor under the benches

suelta *see* **soltar**
suelto, –a *p. p. of* **soltar** loose
sueño *m.* sleep, dream
suerte *f.* fortune, luck, good luck; **tener —,** be lucky; **tuvo la suerte de que la cuerda no se deslizase** luckily for him the cord did not slip
sufrir suffer, undergo
sujeción *f.* subjection
sujetar fasten, make fast, hold
sujeto, –a fastened
sumamente very, exceedingly
sumariamente summarily
sumiso, –a submissive, resigned
superiora *f.* superior (*of a convent*)
superioridad *f.* superiority
supervivencia *f.* survival
superviviente *m.* survivor
suplantar supplant, displace
suplicante beseeching(ly)
supo *see* **saber**
suponer suppose, conjecture, wonder
suposición *f.* supposition
suprimir suppress, abolish, stop
supuesto, –a supposed, pretended; **por —,** of course
sur *m.* south
suyo, –a, –os, –as his, hers, its, theirs, yours; **los —s** his family *or* friends; **uno de los —s** one of themselves

T

taberna *f.* tavern, wine shop
tablado *m.* scaffolding, stage
taconear make a noise with one's heels, step heavily
táctica *f.* tactics, plan
tahona *f.* bakery
tal such, such a, aforesaid, this, such and such; **Tal** " So and so"; **¿ qué —?** how are you? how goes it?
tallar carve, cut
tallo *m.* stem
también also, too
tambor *m.* drum; **— de regimiento** regimental drum
tampoco neither, not either
tan so
tanda *f.* (undetermined) number; **— de palos** flogging
tanto, –a so much; *pl.* so many; *see* **treinta**; *adv.* so much, so much so; **por lo —,** therefore; **un —,** somewhat, a little
tapar cover
tapia *f.* wall
tararear hum (*a tune*)
tardar delay, be long
tarde *f.* afternoon; **por la —,** in the afternoon; **los sábados por la —,** Saturday afternoons; *adv.* late
tardo, –a slow, dilatory
taza *f.* cup
te thee, you (*fam.*), to thee, to you
té *m.* tea; **color de —,** light yellow
techo *m.* roof, ceiling; **bajo de —,** with low ceiling
tejado *m.* roof
tela *f.* cloth
Tellagorri *pr. n.*
tema *m.* theme, subject
temblar tremble, quiver
temer fear, be afraid (of)

temerario, –a rash, headstrong
temeridad *f.* temerity, boldness
temperamento *m.* temperament
tempestad *f.* storm
templado, –a resolute, courageous
templar modify, moderate
temporada *f.* time, season
temporal *m.* storm
temporalmente temporarily, for the time being
temprano, –a early
ten *see* **tener**
tenaz persistent
tendencia *f.* tendency
tender stretch (out), extend; **—se** lie down, stretch (out)
tendido, –a stretched (out), lying at full length
tener have, consider; hold, keep; **— que** have to, must; **¿ tienes algo?** is anything wrong? are you hurt? **algunos los tienes por aquí** some are here
teniente *m.* lieutenant
tentativa *f.* attempt
teñir tinge, stain
teoría *f.* theory
tercer third
tercero, –a third
terminar finish, end; **terminaría haciéndose amigo** would end by becoming a friend
término *m.* term
ternura *f.* tenderness, love
terreno *m.* ground, terrain, country
terrero, –a earthen, of earth *or* dirt
texto *m.* text
tibio, –a warm, mild
tiempo *m.* time; **¿ hace mucho — de eso?** is it long since then? was that long ago? **en otro —,** in former times; **estamos a —,** now is a good time (for us); **al poco —,** shortly after; **tenía —,** he has had time enough; *see* **llevar**
tierra *f.* land, earth, country, ground
tigre *m.* tiger
tilo *m.* linden tree
timidez *f.* timidity
tímido, –a timid
tío-abuelo *m.* great uncle
tipo *m.* type, appearance; **¿qué — tiene?** what does she look like?
tira *f.* strip
tirador *m.* marksman, shot, sharpshooter, rifleman
tirar throw; shoot; drop, draw; **—se** throw oneself, jump; **—se contra** attack
tiro *m.* shot; tug (*of a harness*); **a —s** with a gun
tirso *m.* slender shoot *or* branch
titular entitle
título *m.* title
tocar play, sound; **— a** concern, touch upon
todavía still, yet, again; **— no** not yet
todo, –a all, every, everything; **—s** all (of them); **del —,** altogether, entirely
Tolosa *city of 10,000 inhabitants, situated in the eastern part of Guipúzcoa near the French frontier*

tomar take, receive; drink, eat; choose; capture; — **por su cuenta** take in hand; — **hacia** start toward; — **por la calle** start down the street; — **por allá** go that way; *see* **carrera**; — **a la izquierda** turn to the left; **tomó por el puerto** marched through the pass; — **por una senda** turn into a path
tomito *m. dim. of* **tomo** small volume
tomo *m.* volume
tonelada *f.* ton
tono *m.* tone, color, aspect; vigor, "nerve"
tontería *f.* foolishness, folly; **¡ —s !** nonsense!
tonto, –a stupid, foolish
torcerse twist
torcido, –a twisted, bent
tornera *f.* doorkeeper (*of a convent of nuns*)
torno *m.* wheel; **en — a** around, about, round about
torpe stupid, dull, awkward
torpemente in an unseemly manner, stupidly
torrente *m.* torrent, mountain stream, gorge
torrentera *f.* gorge, ravine
torreón *m.* tower, turret
torturante tortured
toser cough
totalmente completely
trabajar work, work over, till, cultivate
trabajo *m.* work, difficulty, trouble; **con mil —s** with great difficulty
traducir translate
traer bring (back)
trago *m.* draught, swallow; **de un —,** at one gulp
traición *f.* treachery, treason; **a —,** treacherously
traidor *m.* traitor
traje *m.* dress, costume, suit
trajese, trajo *see* **traer**
trama *f.* woof, fabric
tranquilidad *f.* tranquillity, calm
tranquilo, –a calm, steady, undisturbed
transcurrir pass
tras (de) after, behind
trascendencia *f.* great importance, consequence
trasladar move
tratamiento *m.* treatment
tratar treat, try; **—se de** be a question of; **¿ de qué se trata ?** what is the idea? what is it about?
través: a — de through, across; **a su —,** through them
travesaño *m.* cross-piece
travieso, –a transverse; **a campo —,** across country
trecho *m.* space, interval; **a —s** at intervals, here and there
treinta thirty; **— y tantos** thirty-odd
tren *m.* train
trepador, –ora climbing
tres three; **las —,** three o'clock
trilogía *f.* trilogy
trinchera *f.* trench
trinquete *m.* handball court; *see* **pelota**

triste sad, poor, dim, gloomy; **la —,** the poor woman; **ponerse —,** to grow sad
tristeza *f.* sadness
triunfante triumphant, triumphantly
triunfar triumph
triunfo *m.* triumph
trompicón *m.* fisticuff, punch; *see* **dar**
tronco *m.* trunk, log
tropa *f.* troop, force (*of men*), army
tropezar (**con**) stumble, bump into
trote *m.* trot
trozo *m.* piece, part
trucha *f.* trout
tu thy, your (*fam.*)
tú thou, you (*fam.*); **hablar de —,** speak familiarly (*i.e., using the second person singular*)
tumbar knock down, bring down, kill
tupido, -a thick, heavy
turbar disturb, alarm; **—se** be disturbed *or* alarmed
turbio, -a turbid, troubled
turbulencia *f.* turbulence
turbulento, -a turbulent
tuviera, tuvieron *see* **tener**

U

u or
Ugarona *name of a brook which crosses the Bayonne-Elizondo road near Añoa*
último, -a last; **al —,** finally, at last; *see* **caso; por —a vez** last, the last time
ultraje *m.* outrage, insult
ultrarealista ultrarealistic
un, -a a, an, one; **-os** (**-as**) a few, some, about; **—o gordo** a fat man
Unamuno, Miguel de (*b. Bilbao,* 1864) *a distinguished Spanish scholar and writer, author of numerous volumes of essays, poetry and novels; he is the outstanding figure in Spanish thought today*
únicamente only, nothing but
único, -a only, only one; **lo —,** the only thing
unidad *f.* unity
unificación *f.* unification
unificador, -ora unifying
uniforme *m.* uniform
unión *f.* union; **en — de** in company with
unir unite; **—se con** adjoin, join
uno, -a one, anyone, a person; **el —,** (the) one; **—s** some, a few, about (*sometimes not translated*); **todos somos —s** we are all one (party); **a la —a . . ., a las dos** one . . ., two . . . (*in English* one, two, three, go!)
Urbia *see note to page* 3, *line* 1
Urbide *pr. n.*
Urdax *small village in the province of Navarre close to the French frontier*
utilizar use, make use of
Utrera *city in the province of Seville, southeast of the Capital* (16,500 *inhabitants*)

V

vacación *f.* vacation; **—es** vacation, holidays
vacilar hesitate, stagger
vacío *m.* emptiness, vacancy
vagabundo, –a vagabond
vagamente vaguely
vagar wander, roam
vago, –a vague
Valcarlos *name of a village of* 1000 *inhabitants and a mountain defile on the frontier between France and Navarre; it is the first village on the Spanish side of the frontier; through this pass the Pretender retreated to France at the end of the second Carlist war, February* 28, 1876
valer be worth; **más te valía** it would be better for you; **vale más** it is better
valiente brave, resolute
valientemente bravely, valiantly
valor *m.* valor, courage, value
valle *m.* valley
Valle-Inclán, Ramón María del *a Spanish novelist and poet* (*b.* 1869); *he is a modernist who writes a beautiful prose style.*
vamos *see* **ir**; **¡ — !** come, well, is that so? let us go
van *see* **ir**
vanguardia *f.* vanguard
vaporcito *m. dim. of* **vapor** small steamer
vara *f.* rod, staff
variadísimo, –a very varied
variar vary
variedad *f.* variety
varios, –as several, various
vasco, –a Basque
vascongado, –a Basque
Vasconia the Basque provinces (*Álava, Guipúzcoa and Viscaya; they are in the north of Spain*)
vascuence *m.* Basque (*the language*)
vaso *m.* glass
vaya *see* **ir**
veces *see* **vez**
vecino, –a neighboring
vecino *m.* neighbor, inhabitant
veda *f.* closed season (*in hunting or fishing*)
vegetación *f.* vegetation
veía *see* **ver**
veinte twenty
veinticuatro twenty-four
vela *f.* sail
Velate *a mountain pass just south of Elizondo on the highway to Pamplona*
Velche *pr. n.*
veleidad *f.* (fickle) desire, whim
vena *f.* vein
Venaspre (*or* **Viñaspre**) *a village in the province of Álava, forming a part of the municipality of Lanciego* (*q. v.*)
vencer conquer
vendar bandage
vendedor *m.* vender, peddler
vender sell
venenoso, –a poisonous
vengar avenge; **—se de** avenge oneself upon
venir come; *sometimes equivalent to* **estar**, *e.g.*, **lo que venía aquí dentro** what was inside

venta *f.* tavern, small inn
ventaja *f.* advantage, start (*in a race*)
ventana *f.* window
ventanillo *m. dim. of* **ventana** (small) window
ventear blow
ventura *f.* fortune
ver see, call upon, look (at); **tener que — con** have to do with; **—se** be; **—se con** meet (with), encounter; **— lo bien** look carefully
Vera *a small town in the extreme north of Navarre between the river Bidasoa and the French frontier (population* 2,300); *Don Carlos set up his headquarters there in May,* 1872
verano *m.* summer; **el —,** in summer
veras: de —, really, truly, seriously; **que sea de —,** you must mean it seriously
verdad *f.* truth; **es —,** it is true, it is so; **¿ — ?** isn't it? did you? *etc.* (*repeats a previous statement in interrogative form*)
verdaderamente really, truly
verdadero, -a real, true, regular
verde green
verdear grow green
verdugo *m.* executioner, public hangman
vereda *f.* path, short cut
vergüenza *f.* shame, disgrace
verificarse take place
verso *m.* verse; **—s** verses, poetry
verter shed, spill
vertiente *m.* slope
vertiginoso, -a dizzy, giddy
vestir dress, clothe, wear; **—se** dress; **vestido de uniforme** (dressed) in uniform
vete *see* **irse**
vez *f.* time; **alguna —,** sometimes; **otra —,** again; **muchas veces** often; **una —,** once; **a veces** at times, occasionally; **en — de** instead of; **a su —,** in his turn; **a la —,** at the same time; **dos veces** twice; **cada — más** more and more
viajar travel
viaje *m.* journey
viajero, -a traveling; *n. m. & f.* traveler
Viana *a small city of* 3000 *inhabitants in western Navarre near the line between Navarre and Logroño*
vianda *f.* food, viands
viandante *m.* traveler, wayfarer
vicario *m.* vicar
víctima *f.* victim
vida *f.* life, manner of living, living, vital force, energy
viejecito *m.* (little) old man; **dos —s** (little) old couple
viejo, -a old, ancient; *n. m. & f.* old man *or* woman
viento *m.* wind
vientre *m.* belly
vigilancia *f.* vigilance, watch, guard
vigilar watch (over), guard, protect
villa *f.* city, town
vino *m.* wine

viñedo *m.* vineyard
violáceo, –a livid
violencia *f.* violence, force, impetuousness; **con —,** impetuously, violently
violento, –a violent, boisterous, unreasonable
virgen *f.* virgin, Blessed Virgin; **— de Consolación** *an image of the Virgin at Utrera*
virtud *f.* virtue
virtus (*Latin*) valor, virtue; *see* ***funera***
viruela *f.* smallpox
visitar visit
vista *f.* sight, eyesight; view; *see* **levantar; llegar a la — de** come in sight of
visto *see* **ver**
viuda *f.* widow
víveres *m. pl.* provisions, supplies
vivir live; **— de** live by; **¡ viva !** (**¡ vivan !**) hurrah (for)! **¿ quién vive ?** who goes there?
vivit (*Latin*) *see* ***funera***
vivo, –a alive, living, lively, active, vivid; **genio —,** quick wit
volar fly, run; **— corriendo** run at full speed
volumen *m.* volume
voluntad *f.* will
voluntario, –a volunteer
voluntarioso, –a wilful, headstrong
volver return, turn; take back; **— a hacer** do again; **—se** return, turn (around)
vos you
vosotros, –as you
voy *see* **ir**
voz *f.* voice, shout, cry, word
vuelta *f.* turn; *see* **dar**
vuelto *p.p. of* **volver**
vuestro, –a your
vulgar commonplace, vulgar; *n. m.* ordinary person
vulgaridad *f.* vulgarity

Y

y and
ya now, already, later, then; (*sometimes untranslatable*); **— no** no longer
Yécora *a village in southeast Álava near Venaspre* (*q.v.*)
yo I; *as noun* ego

Z

zaguán *m.* entrance, portal, passageway
zaguero *m.* back (*one of the players in the game of pelota*)
Zalacaín Zalacaín; **los de —,** those of Zalacaín's party
zambullir dive, splash, jump
zanja *f.* trench, ditch
zapatilla *f.* low shoe, slipper
zapato *m.* shoe
zapo = **sapo**
zaquizamí *m.* garret, cell
Zaro (French *Sare*) *a village of southwestern France* (*Basses Pyrénées*) *a few miles east of Mt. La Rhune* (*Larrun q.v.*)
zarza *f.* bramble, blackberry bush
zi = **si**
ziguez = **sigues**

zona *f.* zone

zortzico *m. a song or dance in 5/8 time*

Zugarramurdi *a small village on the border between France and Navarre just west of the highway from Elizondo to Bayonne*

Zuloaga, Ignacio *a Spanish painter (born in 1870), a modern representative of the realistic school of Velázquez and Goya*

Zumaya *a small seaport town of 2000 inhabitants in the province of Guipúzcoa, west of San Sebastián*

zurdo, –a lefthanded

zurrar flog, whip